Armand Salacrou

de l'Académie Goncourt

Boulevard Durand

CHRONIQUE
D'UN PROCÈS OUBLIÉ

Gallimard

A LA MÉMOIRE
DE JULES DURAND

né le 6 septembre 1880 au Havre,
condamné le 25 novembre 1910 à avoir la tête
tranchée sur l'une des places publiques de Rouen,
reconnu innocent le 15 juin 1918 et mort fou
à l'asile de Quatre-Mares le 23 février 1926.

LE BOULEVARD DURAND A ÉTÉ INAUGURÉ
AU HAVRE EN 1956.

La pièce a été créée par le Centre Dramatique
du Nord, au Havre, le 19 septembre 1961, avec la
mise en scène d'André Reybaz, dans les décors de
Raymond Renard.

PERSONNAGES

par ordre de leur première entrée en scène

PREMIÈRE PARTIE

PROLOGUE

UN HOMME	Raymond Raynal
PREMIER OUVRIER	Bernard Klein
DEUXIÈME OUVRIER	Guy Massilia
TROISIÈME OUVRIER	Philippe Nottin
CAPRON	Raymond Devime
JULES DURAND	Maurice Sarfati
DURAND, *le Père*	André Daguenet
JULIA	Sophie Marin

SCÈNE I

PREMIER OUVRIER	Bernard Klein
GASTON BOYER	Fred Descamps
DELAVILLE	Pascal Tersou
QUATRIÈME OUVRIER	X
CINQUIÈME OUVRIER	X
LE PATRON DE BISTROT	Étienne Dirand

SCÈNE II

LE JEUNE HOMME	Gérard Vergez
LA JEUNE FILLE	France Beucler
LUC DE SIEMENS	Jean-Pierre Laverne
OLIVIER BUGGENHART	Jean-Pierre Helbert
ÉLISABETH DE SIEMENS (Lise)	Eva Reybaz
ROUSSEL	Michel Chasseing
LE MAIRE	Pierre Germain
LE PROVISEUR	Jean-Pierre Girard
LA FEMME DU PROVISEUR	Arlette Renard
UN MAITRE D'HOTEL	X

SCÈNE III

DURAND, *la Mère*	Florence Brière
LOUIS BOYER	Yannick Gravouille
UN OUVRIER, *essoufflé*	X
MADAME CAPRON	Marthe Villalonga

SCÈNE IV

UN NÉGOCIANT	X
UN AUTRE NÉGOCIANT	X

SCÈNE V

PREMIER OUVRIER GRÉVISTE	X
DEUXIÈME OUVRIER GRÉVISTE	X
TROISIÈME OUVRIER GRÉVISTE	X
QUATRIÈME OUVRIER GRÉVISTE	X

CINQUIÈME OUVRIER GRÉ-VISTE	x
SIXIÈME OUVRIER GRÉVISTE	x
L'ÉPICIER	x
L'ÉPICIÈRE	Josette Hemsen
LE CHARCUTIER	x
LA CHARCUTIÈRE	x
LE BOURGEOIS	x
LA BOURGEOISE	France Beucler

SCÈNE VI

DEUX OUVRIERS	x et x
LE DÉLÉGUÉ	Raymond Raynal

SCÈNE VII

PREMIER GRÉVISTE	x
DEUXIÈME GRÉVISTE	x
TROISIÈME GRÉVISTE	x
QUATRIÈME GRÉVISTE	x
PREMIER AGENT	José Moretto
DEUXIÈME AGENT	Bernard Klein
TROISIÈME AGENT	x
LE CHEF DE LA SÛRETÉ	Jean-Maurice Vayne

DEUXIÈME PARTIE

SCÈNE VIII ET SCÈNE IX

LE JUGE D'INSTRUCTION	Pierre Germain
UN GENDARME	x

ARGENTIN ⎫
LÉVÊQUE   ⎬ *Ouvriers*   x, x et x
MORIN   ⎭ *charbonniers*

UN AUTRE OUVRIER CHAR-   x
   BONNIER

SCÈNE X

LE MARIN   x
LE PETIT GARÇON   x
PREMIER POLICIER   x
DEUXIÈME POLICIER   x

SCÈNE XI ET SCÈNE XII

LE PRÉSIDENT   Jean-Pierre Laverne
DEMOISELLE LESAGE   Arlette Renard
L'AVOCAT   Gérard Vergez
L'AVOCAT GÉNÉRAL   Maurice Santal
DEUX ASSESSEURS *(muets)*   x
DEUX SOLDATS *(muets)*   x
LE DOCTEUR FAUVEL   Pierre Germain

SCÈNE XIII

LE GARDIEN DE PRISON   Étienne Dirand
UN MESSAGER   x
UN DEUXIÈME MESSAGER   x
LE DIRECTEUR DE LA PRISON   Raymond Devime
LE DIRECTEUR DE L'ASILE
   DE QUATRE-MARES   Jean-Pierre Girard

*La scène se passe au Havre, puis à Rouen,
de 1910 à 1912.*

Première partie

PROLOGUE

Dans le décor noir du port, s'avance...

UN HOMME

Juste avant la Grande Guerre, des hommes et des femmes furent les témoins de la tragédie qui va s'ouvrir devant vous, mais ils s'efforcèrent de fermer les yeux et de se boucher les oreilles afin de vivre en paix avec leur conscience. Certains même firent semblant de dormir. Peut-être dormaient-ils en vérité, vivant ainsi tout à fait tranquilles.

Aujourd'hui, ceux qui sont déjà morts vont renaître...

> *Autour de l'Homme, des ouvriers charbonniers, en pantalon de velours noir, veste de toile noire, casquette noire, avec autour de la taille une corde et un crochet de fer pour prendre les sacs sur les quais. Des feux verts et rouges. Un phare blanc tournant. Des sirènes de bateaux.*

PREMIER OUVRIER, *interrompant l'homme.*

... pour coucher encore dans le ruisseau?

DEUXIÈME OUVRIER

Pour que le Bon Dieu nous pisse encore sur la gueule les jours d'orage?

TROISIÈME OUVRIER

Ça nous lavera.

QUATRIÈME OUVRIER *(Capron)*.

J'ai déjà expiré sur ce pavé, le crâne écrasé à coups de talon, et tu veux qu'on recommence le massacre?

PREMIER OUVRIER

Moi, sauf quand j'étais saoul comme une bourrique, j'ai jamais su ce que j'étais venu foutre sur la terre, et tu veux qu'on remette ça?

JULES DURAND

Est-ce pour me dire à quoi peuvent servir les cris de souffrance d'un homme enfermé, seul, dans une prison perdue?

L'HOMME

A rien, s'ils ne sont pas entendus de tous les autres hommes. Mais quand ils sont entendus...

PREMIER OUVRIER

Il n'y a que les ordures qui entendent ces cris-là et, s'ils les entendent, c'est pour leur plaisir! C'est même pour ça qu'ils nous font crier! Les autres, les sensibles, les bonnes petites natures, ils se bouchent les oreilles.

DURAND, *le père, à son fils*.

Oui, mon gars, une fois de plus, les cochons ne voudront rien voir, rien entendre.

JULIA, *jeune femme*.

Pas tous, Jules, pas tous!

JULES

Alors, ils se diront : « C'est une histoire des temps passés. » Et l'on n'est pas avare de sa pitié ni de sa clairvoyance pour les crimes d'autrefois. Oui, comme les hommes aiment la justice quand ils jugent les crimes d'autrefois! Mais je connais leur silence devant les douleurs toutes chaudes dont ils se croient innocents parce qu'ils détournent la tête.

L'HOMME

Or, ton histoire, Durand, qui fut vivante recommence à vivre tous les jours, à toutes les heures, à travers le monde, sous de nouveaux costumes, dans d'autres villes, avec de nouveaux visages. Ceux qui t'ont connu, il y a cinquante ans, t'ont conduit à la mort. Aujourd'hui, on salue ta mémoire. Dans la ville où tu as souffert, un boulevard porte ton nom « Boulevard Durand ». On honore ton souvenir, tout en conduisant d'autres hommes à la mort, dont nos enfants, à leur tour, salueront la mémoire.

JULES

Hélas! les créatures vivantes semblent prises dans un immense filet de cruauté...

L'HOMME

Et le même malheur continue son petit bonhomme de chemin. A croire que la misère n'aura jamais de fin.

JULIA

Non! Non! Jules, seulement notre amour n'aura jamais de fin.

La lumière change le décor.

SCÈNE PREMIÈRE

Un son grave de sirène. Des lumières rouges et vertes s'allument. On entend des bruits métalliques rythmés. Nous sommes sur un quai de port, la nuit. Un violent coup de sifflet, très aigu. Sous la clarté d'un très haut lampadaire, à gauche de la scène, des ouvriers sortent d'un bateau qu'ils déchargeaient, par une passerelle. Le travail est terminé. Delaville, le chef de manutention, surveille la sortie.

PREMIER OUVRIER, *au Deuxième.*

Avance, j'ai soif.

DEUXIÈME OUVRIER *(C'est Gaston Boyer,
du Syndicat).*

Une seconde, Bon Dieu! Je veux regarder l'heure. *(Il sort sa montre et la place dans la lumière.)* Monsieur Delaville, il est huit heures dix!

DELAVILLE

Ça ne m'étonne pas, voilà dix minutes que je siffle l'arrêt du travail.

GASTON BOYER

Vous le sifflez dans votre bureau, hein, **l'arrêt du**

travail. Alors, nous, dans les soutes, on continue le turbin à l'œil!

DELAVILLE

Toi, t'es pas à ta place ici; tu devrais t'acheter un petit commerce et t'installer à ton compte. *(Aux autres ouvriers qui sont sortis.)* Embauche demain matin à six heures.

TROISIÈME OUVRIER *(Capron)*.

Demain, dimanche?

DELAVILLE

Ça t'empêcherait peut-être d'aller à la messe et de communier?

GASTON BOYER, *sec*.

Non, mais le dimanche, c'est double paye.

DELAVILLE

Ça te fatigue davantage de travailler le dimanche? Et comment sais-tu que c'est dimanche? Par le calendrier? Eh bien, change de calendrier, et demain, ce sera lundi. Non, mais! Crois-tu que le bateau connaît si c'est dimanche ou lundi? Faut qu'il parte, le bateau. Tu devrais le savoir, toi qu'es né sur le quai, que la marée n'attend pas.

GASTON BOYER

Le Syndicat non plus, et il exige...

DELAVILLE

Écoute-moi, Gaston, si t'as un plumard, demain matin, reste dedans, et fais la grasse matinée.

J'aurai pas besoin de toi demain. J'aurai jamais plus besoin de toi dans ma bordée. Faut toujours que tu causes; et j'aime pas les orateurs. *(A Capron.)* Et toi, es-tu assez grand pour savoir tout seul ce que tu as à faire? ou te faut-il aussi un syndicat pour t'apprendre à marcher?

QUATRIÈME OUVRIER

Toi itou, cause pas tant, tu me donnes soif.

CINQUIÈME OUVRIER

Avec toute cette saloperie qui nous entre dans la gueule...

PREMIER OUVRIER

Ça finit jamais! Même quand tu roupilles, t'en rêves. En pionçant, au lieu de penser à rien, tu bouffes encore du charbon!

Delaville s'est éloigné.

QUATRIÈME OUVRIER

Les dégueulasses! On remet ça demain!

GASTON BOYER

S'ils accordent la double paye. Sinon, avec le Syndicat...

CAPRON

Moi, je suis mon patron. Ni Dieu ni maître. Personne ne me commandera.

GASTON BOYER

Pas même la Compagnie?

CAPRON

Elle me commande quand ça me plaît qu'elle me commande, et quand ça me plaît pas, je me couche!

PREMIER OUVRIER, *à Boyer.*

A Paris, tout devait sauter à la commande et on allait se la couler douce, comme un vrai Rothschild, dans la plume, mais au moment de faire tout sauter voilà les flingots qui s'amènent en pantalons rouges, et tes copains — ben on les cherche encore tes copains — on sait plus où ils sont! Dis donc, Gaston, tu le sais peut-être, toi?

Rires. Apparaît un café verdâtre, couleur absinthe. Le Patron est devant sa porte.

GASTON BOYER

Devant des fusils, faut quelquefois savoir attendre...

QUATRIÈME OUVRIER

Attendre quoi?

GASTON BOYER

...attendre le jour où la classe ouvrière décidera de ne plus attendre.

CAPRON

Ce jour-là, tu nous feras signe qu'on ne rate pas le défilé.

LE PATRON

Alors, les gars, fini le boulot?

CAPRON

Penses-tu! On remet ça demain!

LE PATRON

Chouette! Les sous vont rappliquer! Ça s'arrose!

GASTON BOYER

Non, les gars! ce soir y a réunion salle Franklin, à neuf heures.

PREMIER OUVRIER

Ce qu'il peut être potin!

DEUXIÈME OUVRIER

Notre journée est terminée.

CINQUIÈME OUVRIER

On te répète qu'on s'en fout.

LE PATRON

Et la première tournée, c'est le Patron qui l'offre.

GASTON BOYER

On n'a pas déjà assez picolé dans la poussière, depuis ce matin? On a chacun tombé nos quatre litres. On n'en peut plus de picoler.

LE PATRON

De quoi tu te mêles, le sacristain? Faut-il pas que tout le monde vive, non?

GASTON BOYER

Et tu crois que ça les fait vivre, tes mominettes?

LE PATRON

Mais dis donc qu'elles sont empoisonnées, mes mominettes, grand dépendeur d'andouilles!
Allez, entrez les gars!

La devanture du café disparaît. Le Patron passe derrière le zinc, sur lequel sont alignées, déjà servies, les mominettes vertes.

PREMIER OUVRIER, *à Boyer.*

Écoute, je vas te dire une bonne chose, mais écoute-moi bien...

CAPRON, *à Boyer.*

T'entres-t'y, t'entres-t'y pas?

GASTON BOYER

Non, il y a réunion salle Franklin.

CINQUIÈME OUVRIER, *gentil.*

Entre donc, puisque c'est le Patron qui l'offre.

GASTON BOYER

Essayez de venir ce soir, mais de toute façon, je serai là demain matin.

Il part dans la nuit.

CAPRON

Mais oui, compte sur nous! Et mets ton mouchoir par-dessus.

LE PATRON

Son Syndicat, c'est pour vous prendre vos sous!

PREMIER OUVRIER

On aurait dû lui flanquer une piquette.

LE PATRON

Comme si on avait besoin de vous expliquer...

QUATRIÈME OUVRIER

...de nous expliquer quoi?

LE PATRON

Enfin, c'est-y pas fini à douze ans, l'école?

QUATRIÈME OUVRIER

Patron, remets-nous ça, c'est ma tournée.

CAPRON

Et sers la mienne, en même temps, deux d'un coup! On est des hommes! voilà mes sous. Et ma paye, c'est moi qui l'ai gagnée!

QUATRIÈME OUVRIER, *avalant coup sur coup les deux verres.*

Et ça fait du bien par où que ça passe!

PREMIER OUVRIER

Alors la musique va commencer et tu vas encore nous raconter Charlotte.

Le Quatrième regarde le Premier. Un silence.

QUATRIÈME OUVRIER, *colère.*

De quoi que t'as causé?

LE PATRON, *au premier.*

Attends qu'il vienne tout seul. Va pas le chercher...

CINQUIÈME OUVRIER, *pour enchaîner.*

C'est au tour de ma tournée, Patron.

PREMIER OUVRIER, *au Quatrième.*

A ta santé! Et dépêche-toi de nous la raconter,
la Charlotte, qu'on aille roupiller. *(Au Cinquième.)*
Tu la connais pas encore la soirée de sa grande
biture? Ah! qu'il était soûl, hein Patron? J'ai
jamais revu ça!

LE PATRON

Une vraie fête! T'aurais dit le cirque!

QUATRIÈME OUVRIER

Dégueulasse! dégueulasse!

Il pleure.

CAPRON, *tapant sa monnaie sur le zinc.*

Remets-nous ça, Patron!

PREMIER OUVRIER

Soûl, mais soûl! Y a des nuits, c'est à pas croire,
je te revois, et ça me réveille tellement je rigole.

CINQUIÈME OUVRIER

Qui c'est Charlotte?

LE PATRON

Une bonniche de chez M. le Maire. Elle voulait
le marier! Alors le Maire, par gentillesse pour sa
bonniche, il l'a engagé dans la police municipale.

CINQUIÈME OUVRIER, *au Quatrième.*

T'as été flicard?

LE PATRON, *rigolant.*

C'est lui qui surveillait le quartier! en uniforme! avec un képi!

QUATRIÈME OUVRIER

Nom de Dieppe, tous, vous allez pas me foutre la paix?

CINQUIÈME OUVRIER

J'offre une autre tournée, Patron! *(Au Quatrième.)* Alors?

CAPRON

Alors? je vous dis une bonne chose : je vas roupiller là!

LE PATRON

Non. Toi, t'as un chez-toi, rentre chez toi avec ta femme et tes gosses.

CAPRON

Dis donc, je suis encore mon maître. *(Il jette des pièces sur le zinc.)* Donne-moi deux verres, rien que pour moi tout seul. Celui qui me commandera, il est pas né.

QUATRIÈME OUVRIER

Pour pas que je fasse des rapports, tous, ils me soûlaient!

LE PATRON

On te soûlait pas, on t'offrait l'apéro...

QUATRIÈME OUVRIER

... Sans jamais me demander la couleur de mon argent!

LE PATRON, *à Capron qui s'étend sur la banquette.*

Pas sur la banquette! Dessous! Que ça prenne pas de place.

Capron s'allonge sur le plancher.

QUATRIÈME OUVRIER

J'en pouvais plus de boire!

PREMIER OUVRIER, *au Cinquième.*

Et sais-tu où on l'a retrouvé? Dans le ruisseau! Avec les boutons de son uniforme qui brillaient sous le réverbère. Et il ronflait, t'aurais cru la corne de brume!

QUATRIÈME OUVRIER

Dégueulasses! dégueulasses!

LE PATRON, *rigolant.*

Alors, on l'a installé dans une brouette, le képi sur la gueule, et l'on l'a baladé dans tout le quartier, de rue en rue, jusqu'à la porte du commissaire...

CINQUIÈME OUVRIER

Dans une brouette? le flicard? comme un tas de fumier? Ah! Ah!

PREMIER OUVRIER

Et nous, on suivait en tapant sur des casseroles. Quand on est arrivé, si t'avais vu la gueule du chef des flics!

QUATRIÈME OUVRIER, *violent, balayant les verres.*

Ce soir, c'est de ta gueule à toi que je vais m'occuper.

LE PATRON

Suffit. On ferme.

QUATRIÈME OUVRIER, *au Patron.*

Avant, sors de ton comptoir, bourrique!
> *Le Premier et le Cinquième retiennent le Quatrième.*

CINQUIÈME OUVRIER

Et qu'est-ce qu'elle est devenue la Charlotte?

PREMIER OUVRIER

A cause de la brouette, elle en a épousé un autre.

QUATRIÈME OUVRIER, *au Patron.*

Ce soir, ce n'est pas la Charlotte qui m'empêchera de te casser la gueule...
> *Puis, il s'effondre en larmes.*

PREMIER OUVRIER

Alors, la dernière des dernières, Patron.

LE PATRON

Montre tes sous.

PREMIER OUVRIER, *qui n'a plus d'argent.*

Puisque demain dimanche, à tarif double...

LE PATRON

Eh bien, tu viendras boire double, demain. Ce soir, on ferme.

CINQUIÈME OUVRIER, *au Premier*.

T'y crois, au tarif double?

LE PATRON

Rien que pour emmerder le Syndicat, ils vous le refuseront.

PREMIER OUVRIER

Alors, sans syndicat, on l'aurait eu le tarif double?

LE PATRON

Allez, on ferme.

PREMIER OUVRIER

Et tu nous fous dehors, sous la pluie?

LE PATRON

Il y a des wagons couverts, sur le quai.

QUATRIÈME OUVRIER, *assis*.

Et quand je l'ai revue, la Charlotte, elle pleurait. Elle avait honte. *(Doucement.)* Laissez-moi lui foutre sur la goule.

PREMIER OUVRIER

Demain! Demain! Et viens-t'en te coucher.

Ils sortent.

CAPRON, *réveillé par le Patron.*

Qu'est-ce que je fous là, moi?

LE PATRON

Quand tu le sauras, tu me le diras. En attendant, libère-moi le plancher.

CAPRON

Mais qu'est-ce que je fous là?

LE PATRON

Que tu sois là ou ailleurs... D'abord, t'as une femme, t'as des gosses, rentre chez toi.

CAPRON, *se levant.*

Chez moi? Pour quoi faire?

LE PATRON

Eh bien, dors dans le quartier. Sur les quais, il y a de la place pour tout le monde.

Capron reste seul. Le café, dont on revoit la devanture, s'éloigne et s'éteint doucement.

CAPRON, *dehors.*

Et ça flotte, comme vache qui pisse!

Les trois autres sont déjà allongés, prêts à dormir.

QUATRIÈME OUVRIER

J'aurais dû lui foutre sur la goule.

PREMIER OUVRIER

Tais-toi, avec ta brouette! Tu nous ferais attraper la crève!

CINQUIÈME OUVRIER

Si on devait attraper la crève, v'là des années qu'on serait déjà morts!

CAPRON, *arrivant parmi eux.*

Pousse-toi, que je m'allonge.

CINQUIÈME OUVRIER

Garce de vie!

PREMIER OUVRIER

A croire qu'on a tué père et mère!

QUATRIÈME OUVRIER

Sûrement pas moi, j'ai jamais eu de père et de mère. Je suis venu au monde tout seul. Un jour quand j'étais gosse, j'ai reçu un grand coup de pied dans le cul. C'est comme ça que je me suis rencontré : en me frottant les fesses.

PREMIER OUVRIER

Et les fesses de ta Charlotte, tu les avais t'y frottées?

QUATRIÈME OUVRIER

Tais-toi, tu remues la poussière.

CINQUIÈME OUVRIER

Et quand on pense que ces salauds d'Anglais, ils pourraient garder leur charbon chez eux.

Sur le bruit calculé d'une sirène de bateau, on enchaîne la célèbre valse de La Veuve *joyeuse. La lumière change le décor.*

SCÈNE II

Au Havre, le 23 août 1910. Chez les Buggenhart.
Une grande villa de la Côte.
L'après-midi. Un beau soleil, des fleurs; des arbres;
au loin, la mer. Quand on entend la musique, parfois
on croit voir des couples danser.
Les Buggenhart donnent une garden-party au profit
d'une œuvre antialcoolique. Nous sommes dans le jar-
din d'hiver qui se prolonge par une terrasse vers le parc.
Entrent Luc et Olivier.

LUC

Ne crois pas que je me sois laissé aller à des
confidences par lâcheté ou par goût du pathétique.
Je ne crois pas être lâche et je déteste le pathétique. Je t'ai fait part d'une décision, qui est
définitive...

OLIVIER

Définitive! Définitive!

LUC

Et je ne veux partager avec personne la responsabilité de cette décision. En vérité, je ne t'aurais
rien dit si je n'allais pas avoir besoin de toi...

OLIVIER

Après une telle décision, de quoi peux-tu bien avoir besoin?

LUC

J'ai besoin de toi, pour les dernières formalités quand je serai mort, après-demain, à Londres.

OLIVIER

Mais, Luc, il est impossible que...
Entre Élisabeth, très jolie jeune femme écervelée. C'est l'épouse de Luc, la sœur d'Olivier.

LISE

Et ces messieurs font la causette tous les deux! Un comble! Entre mon frère et mon mari, je suis vraiment bien lotie! Vous êtes deux mufles!

OLIVIER

Ma chère Lise...

LISE

M'abandonner ainsi au milieu de cette cohue! Quand vous m'avez demandé d'organiser cette kermesse pour vos œuvres antialcooliques...

LUC

Œuvres dont vous êtes la présidente, Lise...

LISE

Je donne ma démission. *(Geste d'Olivier.)* Eh bien, venez voir la dégaine de nos invités. [Ils paient, je veux bien. Mais c'est la foire Saint-Michel! Un marchand de vin du quartier Saint-François vient de me prendre la main pour me poser

dedans une pièce de cent sous. « En plus pour
votre œuvre, et j'ai du mérite, moi bistrot, à vous
donner mes sous pas vrai? Mais pour vos beaux
yeux, la patronne, j'en ferais encore bien davantage. » Et il ajoute : « Quand je pense que j'étais
venu pour rigoler et me payer la tête des autres [1] »]
Et ajoutez à cela que le petit Roussel me suit
comme un toutou. *(A son mari.)* Ma parole, vous
l'avez payé pour m'empêcher de danser avec vos
invités : on dirait une descente de train, une
arrivée de gare.

LUC

Roussel n'est pas à moi, il est à Olivier.

OLIVIER

Et il est très bien, le petit Roussel.

LISE

Oui, avec une de ces têtes de faux témoin!

OLIVIER

Mais non! Oh! ce n'est pas un enfant de chœur...

LISE

Il a dû l'être. Car, en plus, il a une tête de faux
témoin catholique. Les faux témoins catholiques
ont une bassesse dans le regard, une mollesse dans
la bouche... Chez nous, les hommes pas très bien
tout de même se cachent mieux. Ils ont une raideur
qui les tient. Un protestant n'est jamais tout à fait
méprisable. Mais ce laisser-aller, cette veulerie, ce
côté bénisseur et sucré...

1. Peut être coupé à la représentation.

LUC

Lise, j'ai un conseil à demander à votre frère, accordez-nous encore cinq minutes, je vous en prie.

LISE

Votre voix est triste, Luc.

LUC

Pourquoi serait-elle triste? Vous n'avez jamais été aussi ravissante...

Entre Roussel.

ROUSSEL

On vous cherche, madame! *(Il salue Olivier.)* Monsieur le Président. *(A Luc.)* Et votre garden-party antialcoolique est d'un copurchic...

LISE

C'est ce que je disais il y a cinq minutes! *(Aux deux hommes.)* Mais vous, si dans cinq minutes vous ne m'avez pas rejointe tous les deux, je danse avec le mastroquet de Saint-François en me faisant payer dix francs, comme les filles de son quartier.

ROUSSEL

Vraiment? Vous danseriez pour dix francs?

LISE

Oui, et suivez-moi, mon petit Roussel, afin de faire votre rapport.

ROUSSEL, *ahuri.*

Quel rapport?

Elle éclate de rire. Ils sortent.

LUC

C'est vrai qu'il a une sale bobine.

OLIVIER

Il a la bobine de l'emploi : faire travailler, les jours où l'on en a besoin, huit cents dockers, dont les trois quarts sont ivres avant l'embauche...

LUC, *éclate de rire.*

Je te laisse sur la terre avec de curieux soucis! Depuis que ma décision est prise, tout m'apparaît d'un comique! Comment te dire? Je suis détaché. Les petites inquiétudes quotidiennes ne collent plus à ma peau. Je me sens léger. A croire que je vais enfin, le dernier jour, connaître le bonheur sur la terre.

OLIVIER

Mais avant d'admettre le désastre, es-tu certain d'avoir examiné toutes les issues?

LUC

Pourquoi parler pour ne rien dire? Tu veux vraiment que je t'assure que toutes les issues sont pour moi fermées, totalement fermées? Alors, voici ce que j'attends de toi...

OLIVIER, *violent.*

Nous sommes en plein cauchemar! Je ne peux pas te laisser aller ainsi vers la mort sans te retenir...

LUC, *interrompt.*

A ma place, tu aurais pris la décision que j'ai prise.

OLIVIER

Écoute-moi, Luc...

LUC

Olivier, regarde-moi dans les yeux! A ma place, tu aurais pris la décision que j'ai prise. *(Olivier baisse la tête.)* Ne trichons pas et n'en parlons plus.

OLIVIER

Mais nos amis...

LUC

Le désastre dépasse les craintes de nos amis.

OLIVIER

Mai si tous nos amis...

LUC

Tous, sans une seule exception — et je sais qu'il n'y aurait pas une absence —, viendraient-ils tous à mon secours, que je les perdrais sans me sauver. Quand tout sera connu, ma mort ne surprendra personne et l'on approuvera ma discrétion. Suis-je le premier, dans cette ville, et parmi les plus grands, à déposer mon bilan au cimetière? Je prends ce soir le bateau de Southampton. Je serai demain au Brown's Hotel, appartement 17 retenu hier par télégramme. Lundi soir je m'endormirai. Arrive mardi midi. Je serai mort d'une embolie.

Viens avec le pasteur; il désire depuis si longtemps visiter Londres. Il t'aidera pour les formalités et nous évitera peut-être une autopsie. Inutile de dire la vérité à Lise, tu risquerais de la chagriner... à quoi bon? elle n'est pas douée pour les drames.

Entrent Lise et le Maire, suivis de Roussel.

LISE, *à son mari.*

Mon ami, M. le Maire a eu la courtoisie de venir rehausser de sa présence l'éclat de notre garden-party et désire vous saluer.

LE MAIRE

Oui, permettez-moi, monsieur de Siemens, de vous complimenter, sans oublier Madame votre épouse, pour le soutien que vous accordez à nos œuvres municipales engagées dans la lutte antialcoolique, ainsi que M. Buggenhart.

ROUSSEL

Monsieur le Maire sait qu'à Saint-François, dans l'île, non seulement un bistrot existe au pied de chaque maison, mais aussi dans les étages...

LISE

Eh bien, moi, si je grimpais des escaliers, ce serait pour ne pas boire cette absinthe qui sent si fort...

LE MAIRE

Le travail de ces hommes est très dur, madame, et ils n'ont guère de distractions dans leur taudis.

LISE

Mais avec des économies faites sur la boisson, ne pourraient-ils pas l'embellir un peu, leur taudis?

LE MAIRE

Je connais ces hommes, madame, ils ont des excuses.

ROUSSEL

Moi aussi, je les connais; les trois quarts sont des brutes...

LE MAIRE

Est-il aisé, monsieur, d'échapper à la brutalité de la misère?

ROUSSEL

...quand ce ne sont pas des repris de justice!

LE MAIRE, *pour briser la discussion, très gentiment.*

Oui, vous voyez, monsieur Roussel, pas même des électeurs!

OLIVIER

Monsieur le Maire, je connais trop votre humanité pour croire que vous défendez ces hommes qui semblent abandonnés de Dieu, pour des raisons électorales.

ROUSSEL

D'autant plus que nous savons comment votent ceux qui ont encore le droit de vote, le jour de l'élection : pour le candidat qui paie le plus cher! Ils arrivent en colonne, le chef de file donnant, en même temps, le bulletin et la pièce de cent sous.

LE MAIRE

Je sais. Je sais. Je sais même, presque aussi bien que vous, qui les paie pour voter contre moi.

OLIVIER

Non, monsieur le Maire, pas contre vous, mais pour notre candidat.

ROUSSEL

Le déchargement du charbon dans une poussière gluante que l'effort fait avaler est un travail pénible. Et M. le Président a été le premier à le reconnaître et le premier à tenter l'essai d'une machine automatique qui va nous économiser d'un coup cent cinquante hommes. Eh bien, nous allons être dans l'obligation, monsieur le Maire, de demander la protection de la police municipale pour cette machine que les dockers veulent détruire.

LE MAIRE

C'est peut-être qu'ils auront encore besoin de manger ceux que votre machine remplacera?

OLIVIER

Monsieur le Maire, vous dirigez une entreprise familiale où l'on traite le riz qui nous arrive d'Indochine. Je sais qu'après avoir employé vos ouvriers toute la semaine vous pensez encore à eux le dimanche, à leur famille, à leurs enfants...

LE MAIRE

Oui, et ce souci de leur bonheur me donne de grandes satisfactions.

OLIVIER, *sec.*

Ce souci me serait insupportable!

LE MAIRE

Je ne comprends pas.

OLIVIER

Un vertige me ferait basculer!

LE MAIRE

Quel vertige?

OLIVIER

Quand le vent est bon, je ne remercie pas le vent. Quand la tempête retarde mes navires, elle ne m'apparaît pas avec la grâce d'une estampe romantique. Elle n'est ni belle ni laide. Et je ne demande pas à mes ouvriers la photographie du jour de leurs noces.

ROUSSEL

Nous devons transporter un certain nombre de tonnes de marchandises, recevoir et distribuer d'autres tonnes de charbon; nous avons des horaires à respecter; des barèmes nous commandent, et nous ne sommes responsables que devant des chiffres.

OLIVIER

Et s'il leur poussait, à mes chiffres bien rangés dans leurs colonnes, toutes droites, des yeux, des nez, des bouches, un regard, et qu'ils m'apparaissent tout à coup en figure d'homme ayant une âme... mais avec cette chaleur humaine s'échap-

pant de leurs additions et soustractions, ils danse-
raient dans ma tête et me brûleraient, tels les
diables d'un tableau de Brueghel — *L'Enfer.*

ROUSSEL

Que nos ouvriers cessent, pour nous, d'être des
machines et les accidents du travail nous transforment en criminels. Du sang coule sur les bénéfices. Il y a dans l'homme, ouvrier ou patron, un
destin et une mécanique. Et cette mécanique, si
vous saviez de quelle façon la concurrence nous
contraint de l'employer et de la traiter! Comme
de la ferraille! Oui, monsieur le Maire, comme
de la ferraille! D'ailleurs si demain la guerre éclate
entre l'Allemagne et la France, avant de faire
battre la charge, le général demandera-t-il à ses
soldats combien ils ont d'enfants et comment ils
aiment leur femme? Dans sa tête, une seule idée,
une seule : gagner la bataille avec ses soldats et
ses canons. Et ses soldats se transforment, d'un
coup, en chiffres, en machines, en canons!

LE MAIRE

Mais, monsieur Roussel, laissez-moi vous dire
que personne ne pleure la mort d'un canon.

LUC

Pourquoi pleurer les morts? Ils ne sont plus en
danger. C'est pour les vivants qu'il faut trembler.

OLIVIER

Tu as raison, Luc, nous ne sommes pas sur cette
terre pour être heureux, mais pour essayer de

gagner, balancés entre la terreur et l'espoir, notre
salut personnel.

LE MAIRE

Alors pourquoi cette volonté violente de déve-
lopper votre entreprise sur un plan, mondial
peut-être, mais qui ne saurait être ni universel ni
éternel?

OLIVIER

Dieu m'a fait naître dans ce pays et dans cette
ville. Dieu m'a placé, par mes réussites maritimes,
dans une destinée que je ne peux refuser. Tant
que Dieu exige que j'occupe cette place, je suis
comptable, sans aucune restriction d'aucune sorte,
du développement de mes entreprises pour la
grandeur de mon pays et la prospérité de notre ville.

LE MAIRE

Ce dont nous vous sommes infiniment reconnais-
sants, monsieur le Président, ainsi qu'à Mme et
M. de Siemens pour cette fête adorable en nous
excusant de cette conversation peu accordée à des
valses langoureuses.

LISE

J'adore écouter les conversations que je ne
comprends pas. J'en suis ravie comme une enfant
admise, un jour d'anniversaire, à la table des
grandes personnes. *(Salutations.)* Je vous accompagne, monsieur le Maire, et suivez-moi, mon petit
Roussel.

Sortie.

OLIVIER

Ce pleurnichard hypocrite ne m'a jamais tant exaspéré.

LUC, *de bonne humeur.*

Aujourd'hui, il m'a fait rire.

OLIVIER

Comment veux-tu que je puisse rire, moi qui reste seul? Avec quelle lenteur les heures et les années de ma vie vont-elles maintenant défiler. Mais de quelle manière as-tu pu te laisser prendre par un tel cyclone?

LUC

[Le cyclone, au centre duquel je vais m'engloutir en absorbera d'autres. Cette tornade a été organisée, en face, de l'autre côté de la mare [1].] La baisse est artificielle; c'est notre Bourse qu'ils ont condamnée et veulent détruire. Après les cotons, les cafés suivront. Je ne suis que la première victime. Toi, tu verras les autres. Avant cinq ans, New York aura gagné. [Ce n'est plus chez nous que s'achèteront et se vendront tous les cafés et tous les cotons du monde, mais chez eux. Et notre Bourse deviendra un musée. Jeter dans un trou sans fond la dot d'Élisabeth ne servirait à rien. Garde aussi ses bijoux qui venaient de la succession de votre mère. Tu as une fille, qu'ils soient sa propriété plus tard. Au syndic, tu ne remettras que les bijoux que j'ai achetés moi-même [1].]

---

1. Peut être coupé à la représentation.

OLIVIER

Et ne pas pouvoir te tendre la main!

LUC

Garde cette phrase, et offre-la à un marin, ou à
un de nos pêcheurs, un jour de tempête. Eux non
plus, parfois, ne peuvent pas se tendre la main.
Ou plutôt, ils se tendent les mains, mais les mains
ne peuvent plus se joindre. Je me suis battu, non
pas pour moi, j'étais assez riche, tu le sais, pour
vivre à ne rien faire, mais une idée m'entraînait,
l'idée que je me faisais de l'importance de notre
Place, de notre Bourse dans le monde. J'ai joué;
j'ai été aspiré; j'ai perdu. Qu'importe la mort
d'un homme, j'aurais pu gagner, et cette victoire
qui m'échappe n'aurait-elle pas justifié tous les
risques que j'ai pris?

OLIVIER

Et ne crains-tu pas que Dieu condamne ce
suicide?

LUC

Que veut-il que je fasse d'autre? J'ai vécu sur
cette terre dans un métier compliqué et difficile,
plein de hasards, que je ne pouvais refuser. Je
dois terminer l'aventure. On parlait tout à l'heure
d'accidents du travail, et l'on avait raison. Mais ce
qui vaut pour nos ouvriers vaut pour nous. C'est
même notre seule justification. Comme le dernier
de mes ouvriers, je meurs d'un accident de travail.
Et cela ne regarde pas l'homme ni son âme. Si
Dieu avait voulu que je continue, ne crois-tu pas
qu'il m'en eût donné les moyens? Dans ma chambre

d'hôtel, à Londres, ne disparaîtra qu'un négociant ruiné. Dieu ne pourra pas me reprocher un
suicide qui n'existe pas. Ce n'est pas l'âme qu'il
m'a donnée que je souhaite détruire, j'abandonne
seulement le négoce.

> *Ils s'éloignent.*
> [*Brouhaha. Entrent précipitamment un Jeune
> Homme et une Jeune Fille avec des baguettes de
> diabolo, suivis du Proviseur et de sa femme.*

LE JEUNE HOMME, *montrant un point dans le ciel.*

Par ici, monsieur le Proviseur, tenez, le voici...

LA FEMME DU PROVISEUR, *saluant.*

Messieurs!

LA JEUNE FILLE

Cousin Luc, n'avez-vous pas une paire de lor-
gnettes?

LE PROVISEUR

Je suis bouleversé. *(Il salue.)* Messieurs, je
m'excuse de forcer, dans mon émerveillement...

LE JEUNE HOMME

C'est mon cousin!

LE PROVISEUR

Là, dans le ciel, tout seul dans le ciel?

LA FEMME DU PROVISEUR

Et au-dessus de l'eau! Mon Dieu, en plus, il
risque d'être noyé!

LE PROVISEUR

Les journaux, ce matin, laissaient prévoir sa
tentative.

LE JEUNE HOMME

Hier, chez grand-père : « Si le temps est beau, nous a-t-il dit, j'essaierai de sauter par-dessus l'estuaire. »

LE PROVISEUR

Et ce petit ne savait pas un mot de latin. Des solécismes! des barbarismes! Et une indifférence devant ses fautes! Déjà une grande maîtrise de soi.

Entre Lise, suivie de Roussel.

LISE

Hubert est sensationnel!

LE PROVISEUR

C'est bien simple, c'est Icare! Icare!

LA FEMME DU PROVISEUR

Icare? Alors, il va mourir.

LE PROVISEUR

Non! Icare triomphant!

Des cris : « Vive Latham! » *et des bouffées de* Marseillaise.

OLIVIER, *à Lise.*

M. le Maire est-il encore parmi nous?

LISE

Il s'est éclipsé tout de suite, justement pour présider le meeting d'aviation.

OLIVIER

J'aurais été heureux de lui présenter notre ami en plein ciel!

LA FEMME DU PROVISEUR, *admirative.*

Mais comment n'a-t-il pas peur, là-haut, tout seul?

LISE

Oh! je le connais : il a peur! Sans cela, il n'irait pas!

LA FEMME DU PROVISEUR, *qui ne comprend pas.*

C'est vraiment un curieux garçon!

LE PROVISEUR

Il n'aimait pas Virgile, ne comprenait pas Horace, César l'ennuyait et je donnerais aujourd'hui tout mon latin pour être à sa place.

LA FEMME DU PROVISEUR

Toi, mais tu n'aimes pas avoir peur, parce que quand tu as peur, tu as peur!

LISE

Hubert nous disait hier qu'il avait raté l'an dernier la traversée de la Manche, mais qu'il la réussirait cette année.

LA FEMME DU PROVISEUR

La traversée de la Manche?

LA JEUNE FILLE

Et il réussira!

LA FEMME DU PROVISEUR

De France en Angleterre par les nuages?

LE PROVISEUR

Nous sommes à la veille de grandes nouveautés.

ROUSSEL

Et voici la première : désormais les guerres seront impossibles.

LA FEMME DU PROVISEUR

Ce serait plutôt une bonne chose.

ROUSSEL

Comment voulez-vous grouper une armée maintenant? Dans la nuit, au-dessus du camp, un aéroplane viendra, laissera tomber une bombe et le camp sera détruit.

LA FEMME DU PROVISEUR

Quelle horreur!

ROUSSEL

Comme les Allemands, un jour, posséderont aussi des aéroplanes...

LA JEUNE FILLE

Ah! non!

LA FEMME DU PROVISEUR

Résignez-vous, mademoiselle, l'espionnage existe, hélas!

ROUSSEL

Ainsi, eux aussi pourraient détruire nos camps de soldats. Et lorsque l'on peut, entre adversaires, s'entre-détruire à égalité et complètement, la

guerre devient impossible. Cet aéroplane qui tra-
verse le ciel, avec le cousin de M. le Président, c'est
la paix qui passe.

LE JEUNE HOMME

Alors, et l'Alsace-Lorraine?

LA JEUNE FILLE

Mais Peter a raison, et l'Alsace-Lorraine?

LA FEMME DU PROVISEUR, *hurlant*.

Il tombe! il tombe!

LA JEUNE FILLE, *sortant*.

Mais non, il s'éloigne.

LE PROVISEUR

Il est encore tout brillant dans le soleil.

*Le Jeune Homme, le Proviseur, la Femme du
Proviseur sortent.*

OLIVIER, *entraînant Luc.*

Et l'avenir ne te retient pas?

LUC

L'avenir? Mais l'avenir n'existe pas. L'avenir
c'est déjà le passé de nos enfants.

Ils sortent [1].]

ROUSSEL, *à Lise qui allait sortir.*

Madame, puis-je vous demander une grande
faveur?

1. Peut être coupé à la représentation.

LISE

Bien sûr, cher monsieur Roussel.

ROUSSEL

Et votre appui.

LISE

Mon appui?

ROUSSEL

Votre pasteur ne doit-il pas accompagner ici votre oncle, M. le Ministre du Commerce?

LISE

Certainement.

ROUSSEL

Je vis dans un grand trouble, dont je voudrais entretenir votre pasteur; je ne supporte plus la confession catholique, et je voudrais lui demander d'être admis à prier au temple le dimanche.

LISE

A prier avec nous! (*Éclatant de rire.*) Mais c'est impossible.

ROUSSEL

Madame, vous ne connaissez pas mon opiniâtreté.

LISE

Mais vous ne connaissez pas notre pasteur. C'est un homme qui prend tout au sérieux. Je crains bien qu'il ne vous décourage.

ROUSSEL

Ce serait la première fois, madame, qu'on me découragerait.

LISE

Comment vous expliquer. Vous êtes encore catholique?

ROUSSEL

A peine, de moins en moins, et depuis quelques heures, plus du tout.

LISE

Tout de même, autrefois, vous vous êtes confessé?

ROUSSEL

Oui...

LISE

Eh bien, tous les jours, enfin presque tous les jours, je tremble à la pensée, si j'étais catholique, qu'il pourrait être mon curé — et que je devrais me confesser à un pareil homme! Qui n'a jamais dû pécher, et sans effort, semble-t-il. A mon tour, je changerais de religion. Non. Je ferais comme Cécile...

ROUSSEL

Cécile?

LISE

La petite Duval-Lavallée, qui pour se confesser prend le train, et va à Paris chez un Père jésuite, fort bien élevé, d'une grande curiosité, paraît-il, mais très compréhensif.

On entend La Veuve Joyeuse.

ROUSSEL

Me ferez-vous l'honneur de m'accorder la pro-
chaine valse?

LISE

Et vous savez aussi valser?

Mon cher, vous me passionnez. Un jour, je me
déguiserai et j'irai voir comment vous commandez
les hommes de mon frère, sur les quais.

[*Ils reviennent tous de la terrasse.*

LE JEUNE HOMME

Il a disparu.

LE PROVISEUR

Il s'est effacé dans le ciel, comme une étoile
au jour levant.

LA FEMME DU PROVISEUR

Oui, nous avons pris quatre billets de votre
tombola philanthropique, mais c'est comme un
fait exprès, je ne gagne jamais!

UN MAÎTRE D'HÔTEL

M. le ministre descend de voiture avec M. le
Pasteur.

LA JEUNE FILLE

Viens, je vais te présenter!

LE JEUNE HOMME

Oui, Dolly.

Ils sortent vite.

LE PROVISEUR

Nous serons très heureux d'offrir nos respects à M. le Ministre et de remercier votre pasteur pour sa haute courtoisie dans ses rapports avec notre lycée.

LISE, *aux deux hommes.*

Vous me suivez... Eh bien, venez, mon petit Roussel, le pasteur est là!

Elle éclate de rire.
Sortie de Lise, de Roussel, du Proviseur et de sa femme.

LUC, *à Olivier.*

Si tu voulais bien aller les saluer pour moi.

OLIVIER

Ah! non, mon vieux, oncle René ne comprendrait pas ton absence.

LUC

Allons donc le saluer, ce cher homme. Sa peine sera si sincère mardi. D'autant plus que ma catastrophe financière lui posera des problèmes politiques, qu'il ne saura pas résoudre [1].]

OLIVIER, *montrant Lise qui sort.*

Et Lise, que fais-tu de Lise?

LUC

Elle sera si intéressée par la situation de jeune veuve éplorée.

1. Peut être coupé à la représentation.

OLIVIER

Tu es donc détaché aussi de Lise, toi qui...

LUC

Oui, moi qui...

...hier encore, elle eût pu me faire hurler de jalousie, si telle eût été son envie, mais aujourd'hui... Dans quelle solitude entre un homme qui a pris la décision que j'ai prise. As-tu quelquefois, au travers d'une vitre, regardé un bal sans entendre la musique? Tous ces couples qui tournent dans le silence n'ont plus de sens. Et ils sont d'un comique, d'une étrangeté inutile! Eh bien! depuis cette nuit, je n'entends plus la musique de la vie. Je vous regarde tous danser dans un terrifiant silence.

OLIVIER

Mais si demain, à la Bourse, la tendance se retournait...

LUC

En face, on n'a pas monté le coup pour me donner un petit frisson, mais pour m'abattre...

OLIVIER

Tout de même, si demain à la Bourse une explosion de hausse, inattendue...

LUC

Je serais bien déçu.

OLIVIER

Déçu?

LUC

Revenir, redescendre, défaire mes bagages,
recommencer, me réhabituer à l'inutile, au frivole,
à ce qui ne dure pas?

OLIVIER

Mais que ferais-tu?

LUC

Naturellement, je m'inclinerais, mais avec quels
regrets. Au début, ne crois pas que je me sois
détaché avec facilité; j'ai connu le désespoir des
hommes légers. Et j'ai attendu, heure par heure,
ce miracle que tu espères encore pour moi. Mais
ces chiffres qui m'auront tant inquiété m'apparaissent maintenant si dérisoires... [Si Dieu m'ordonne de rester, je resterai et je te promets de
prendre lundi midi, à Londres, les cours de la
City. Avant d'embarquer, cette nuit, je dînerai
dans un bistrot sur les quais, avec Lise. Je te
demande de venir avec nous, d'être là.

OLIVIER

Lise sait que tu pars pour Londres?

LUC

Pas encore.

OLIVIER

Pour me dénouer les nerfs, j'ai envie de piquer
un de ces galops à cheval...

LUC

A propos de cheval, essaie de garder la Bleuette.
Je ne veux pas l'imaginer avec le petit Duval-

La vallée sur le dos. Et ce blanc-bec l'achètera quel que soit son prix si elle est mise en vente. Après tout, pourquoi pas? Posséder mon cheval? Sa revanche! Et ce nigaud sera si heureux. Tu vois de quoi se contentent les hommes sur la terre [1].]

OLIVIER

Mais avant de devenir mon frère, tu étais mon ami, nous avons eu trois ans, dix ans, quinze ans, l'un près de l'autre...

LUC

Essaie dans la mesure du possible de récupérer tout mon personnel dans tes affaires. Il n'était pour rien dans mes bénéfices, il ne serait pas juste qu'il trinque dans ma déconfiture.

OLIVIER

Luc.

LUC

Allons saluer l'oncle René.

OLIVIER

Luc!

LUC

Ne t'attendris donc pas : toi aussi, un jour, tu mourras.

OLIVIER

Mon petit vieux, si tu savais combien je t'admire!

> *Ils s'étreignent. On entend la valse, enchaînement rapide de lumière.*

1. Peut être coupé à la représentation.

SCÈNE III

Fin d'après-midi.
Apparaît la cour où habitent les Durand. Cour inté-
rieure, bordée de maisons misérables.
Au centre du décor s'ouvre la cuisine, pauvre et
propre, de M. et Mme Durand. Mme Durand, à l'ai-
guille, tricote des chaussettes. Julia, la compagne de
Jules, au crochet, tricote une écharpe de laine. M. Du-
rand, assis près de la cuisinière, lit le journal. Jules
marche et parle.

JULES

Pour eux nous ne sommes que des chiffres. Nos
souffrances se traduisent dans leurs livres par des
additions et des soustractions. Que leur importe
notre misère, si leur balance comptable se balance
bien, sans un sou de perdu sur leurs bénéfices.
Nous réclamons le droit de vivre et ils font des
preuves par neuf.

Un silence.

LA MÈRE

Joue une partie de dominos avec ton père, ça
te changera les idées.

LE PÈRE

J'ai pas envie de jouer.

Un silence.

JULIA

Eh bien, Jules, allons donner à manger aux pigeons.

JULES

Pourquoi parler pour ne rien dire? Ce n'est pas encore l'heure de donner à manger aux pigeons. Et tu le sais bien!

Un silence.

LE PÈRE

Et tes pigeons voyageurs, c'est pour correspondre avec qui?

JULES

Pour correspondre avec tout ce qui est vivant; avec la nature, toute la terre, et le ciel. Ces petites bêtes qui, pour atteindre leur but, ne craignent pas de voler jusqu'à en mourir, et qui d'instinct savent ce qu'elles doivent faire...

LE PÈRE

Et qui, en cas de révolutions, peuvent envoyer des messages secrets!

JULES, *ahuri.*

Qu'est-ce que tu racontes?

LE PÈRE

Ce qu'on m'a dit.

JULES

Ceux qui t'ont parlé ainsi sont des idiots.

LE PÈRE

Peut-être ben qu'oui, mais peut-être ben que non.

LA MÈRE

A quoi bon vous disputer? Il est machu comme une bourrique!

JULES

Maman a raison. On n'est pas d'accord sur les événements, alors, parlons d'autre chose.

LA MÈRE

Mais avant de t'occuper de ce qui ne te regarde pas, occupe-toi donc de toi, de ta famille. Et laisse les autres se débrouiller tout seuls!

JULES

Et c'est ce qu'on t'apprend quand tu vas à la messe le dimanche?

LA MÈRE

T'as tort de ne pas m'écouter. Je suis vieille et je sais ce que je dis : quand on est dans la misère soi-même on les voit jamais les autres.

JULES

Eh bien! moi, je me montrerai!

LA MÈRE

Tu te montreras! Tu te montreras! A qui? Et ça fera quoi? Jules, t'oublies qu'on est pauvres.

Tu te montreras!!! Tu te montres déjà trop! Mais en tout cas, qu'on soit pas déshonorés! Car ton père, toute sa vie, a été un honnête homme.

JULES

Le vrai déshonneur, il vous tombe dessus seulement quand on ne fait pas son devoir. Et à mes yeux, un homme qui ne lutte pas pour le progrès, ce n'est pas un honnête homme.

LE PÈRE

Et qu'est-ce que c'est?

JULES

Un abruti ou un profiteur. Et ce n'est pas seulement chez les patrons qu'il y a des profiteurs. Chez les ouvriers aussi.

LE PÈRE, *violent.*

C'est pour moi que tu dis ça?

JULES

Je dis ça pour tout le monde, et avant tout pour moi, surtout pour moi, quand je suis tenté de baisser la tête, et d'accepter ce qui n'est pas acceptable.

LA MÈRE

Vous n'allez pas tout de même vous disputer? *(A Jules.)* Alors, t'es le frère de la terre entière, mais tu connais plus ton père?

LE PÈRE

En fait de profiteur, je vais probablement perdre ma place, à cause de toi.

JULES

A cause de moi?

LA MÈRE

Toi qui depuis vingt-trois ans as toujours été bien noté dans ton chantier?

LE PÈRE, *à la Mère.*

Je voulais pas t'en parler, mais nom de Dieppe...

LA MÈRE

Ne te mets pas en colère, papa, t'es vieux.

LE PÈRE

Aujourd'hui, c'est le grand gatron qui m'a appelé dans son bureau ciré : « Durand, il m'a dit, vous êtes chez nous depuis vingt-trois ans, bien noté, et nous aurions été disposés à prendre votre fils comme commis de dehors... »

LA MÈRE, *agitée...*

Commis de dehors! T'entends Jules? Toujours propre en faux col blanc, et presque ton maître — avec la confiance des grands patrons sur les quais, à surveiller les arrivages et les embarquements — commis de dehors, toi —, j'osais pas l'espérer. *(A son mari.)* Et tu les as remerciés, ces messieurs? Parce que Jules, tu vas accepter? Enfin, Julia, puisqu'il n'écoute que toi, dis quelque chose...

JULES, *à son Père.*

Et qu'ont-ils ajouté, ces messieurs?

LE PÈRE

« ... vous avez encore notre confiance... »

LA MÈRE

Tu vois, mon gars, il n'est pas trop tard.

LE PÈRE

« ...mais vous ne la garderez, cette confiance, que si vous parvenez à calmer votre fils. On parle trop de lui depuis quelque temps... »

JULES

Depuis que je suis le secrétaire du Syndicat des Ouvriers charbonniers du Port?

LA MÈRE

Notre fils, à la tête de cette bande de voyous — oui, un ramassis de voyous!

JULES

Et si tu ne parviens pas à... me calmer?

LE PÈRE

Dans ce cas « ils seraient amenés à penser que j'épouse tes idées », et il a ajouté : « Je ne vous apprendrai rien, Durand, en vous disant que nous sommes des hommes d'ordre et de bon sens, qui n'aimons pas beaucoup les partageux. »

JULES

Partageux! oui, ainsi m'appellent ceux qui vont à l'église le dimanche. Et qui vont à l'église pour quoi? Soi-disant pour partager la douleur des autres. Alors, que me reprochent-ils à moi, qui ne cherche, pour la diminuer, qu'à partager avec les riches la misère des pauvres? Voilà le partage que je demande, et qu'ils me refusent.

LA MÈRE

Mais t'es pas curé. Personne ne te demande de
prêcher à la place des curés.

JULIA, *très douce, au Père.*

Quand vous avez été malade, il y a deux ans,
c'est votre grand patron, dans son bureau bien
ciré, qui vous a aidé?

LE PÈRE

Non, c'est Jules, je ne l'oublie pas.

LA MÈRE, *à Julia.*

Mais tu ne comprends donc pas jusqu'où ils vont
l'embarquer tous ces gars de sac et de corde?

LE PÈRE, *à Julia.*

Tu sais qu'on t'aime bien; Jules n'a pas eu de
chance avec sa première femme, et dès qu'on saura
où elle est partie notre fils divorcera pour t'épouser,
et t'es, ici, déjà comme ma bru...

LA MÈRE

Papa aurait préféré une situation plus régulière.
(Au Père qui proteste.) Oui, t'aurais préféré, tu
me l'as dit! Surtout maintenant qu'il y a un mioche
en train. *(Elle éclate, à Jules.)* Mais vieille bourrique, t'accepterais d'être commis de dehors, que
ton fils pourrait devenir ingénieur! Alors que ton
père a commencé comme manœuvre! C'est ça, le
progrès pour moi.

JULIA, *souriante.*

Son fils, son fils, ce sera peut-être une fille?

JULES

Je l'aimerai tout autant.

LE PÈRE

Et moi aussi, qu'a jamais eu de fille, sauf toi, Julia, depuis que t'habites avec nous. *(On a frappé.)* Entrez.

> *Entrent deux ouvriers, les deux frères Boyer, Gaston et Louis.*

LOUIS

Salut.

GASTON

On vous dérange?

LOUIS

C'est une commission pour Jules. Alors on lui court après.

LE PÈRE

Asseyez-vous.

LOUIS

Pas la peine, pensez-vous...

GASTON

On a juste à lui dire *(à Jules)* qu'on a besoin de toi sur le quai.

LA MÈRE

Sur le quai? A cette heure? Pourquoi?

JULES

Ils vont nous le dire, maman.

LOUIS

Alors voilà. Excusez-nous, mais faut bien qu'on dise les choses : à cinq heures, j'ai fait arrêter la bordée de Delaville. A cinq heures, c'était l'heure. Seulement, tu le sais, le *Provence* doit partir cette nuit. Alors j'en ai profité. Au nom du Syndicat, j'ai exigé, pour les heures supplémentaires, double paye.

JULES

T'as bien fait.

LOUIS

Alors, il m'a foutu à la porte.

LA MÈRE

Qu'est-ce que je disais!

JULES

Delaville?

LOUIS

Oui.

GASTON, *radieux.*

Mais tous les compagnons ont refusé de reprendre le travail.

JULES, *triomphant.*

Ah!

GASTON

Alors, Delaville est allé aux ordres chez Roussel.

LOUIS

Téléphoniquement.

GASTON, *hurlant de joie.*

Et pour la première fois, la Compagnie a accepté de payer les heures doubles!

JULES

Un pour tous! Et tous pour un! Vive le Syndicat! Julia! Julia. Je vois une grande déchirure de lumière dans le ciel... les temps sont proches!

GASTON

Seulement, Jules, Delaville n'a pas voulu rembaucher Louis...

LA MÈRE

Et ça vous étonne?

GASTON

Alors, Petit Louis a regardé les compagnons, et les compagnons ont refusé de reprendre le travail sans mon frère. En ce moment, ils se croisent les bras sur le quai.

LOUIS

Il faut que tu viennes.

LA MÈRE, *au Père accablé.*

Papa, tu n'y es pour rien, toi!

JULES, *à Louis.*

Ou ils te rembauchent *(à Gaston)*, ou c'est la grève dans toutes les bordées.

LE PÈRE

Tu voudrais déclencher une grève?

LA MÈRE

Toi qu'avais si peur de tout quand t'étais petit!
Et si bien élevé!

JULES

Les compagnons ont compris. Ils sont prêts.
A nous de saisir la provocation.

LE PÈRE

Tu veux t'opposer à Delaville?

GASTON

S'il n'y avait que lui!

LOUIS

De la crotte de bique, Delaville!

GASTON

C'est Roussel qui commande.

LE PÈRE, *affolé*.

Mais derrière M. Roussel, il y a tous ces messieurs
de la Bourse et de la Côte.

JULES

Ces messieurs de la Côte! Ces messieurs de la
Côte! ce sont des fils et des petits-fils de négriers!
Ils ont fait fortune sur les rivages d'Afrique dans
la vente des Noirs. Et maintenant, après nos
frères noirs qui se libèrent, c'est nous, les damnés
de la terre, les forçats de la faim...

LA MÈRE

Chez nous, t'as jamais manqué de rien!

JULES

...qu'ils veulent étrangler...

LA MÈRE

C'est pas vrai! Ils t'offrent une place de commis de dehors!

JULES

Et d'abandonner les copains qui étouffent dans la poussière du charbon sans jamais en sortir que pour aller au cimetière?

GASTON

Vous savez bien que c'est vrai, madame Durand.

LA MÈRE

Au lieu de faire tout ce barouf, si vous changiez simplement de métier?

JULES

Ils nous refusent vingt sous d'augmentation, et le même jour, ils décident de donner cent mille francs, vous entendez, cent mille francs à un prix de course d'aéroplanes dans le ciel, pour jouer à saute-mouton par-dessus la mer!

LA MÈRE

Ils ont bien le droit de faire ce qu'ils veulent de leur argent. Nous empêchent-ils de faire ce qu'on veut de nos quatre sous?

JULES

Dans l'avenir, je vous le dis, plus que des combats de gladiateurs, où des hommes s'assas-

sinaient en spectacle, on s'étonnera que des êtres
humains qui se faisaient appeler *Patrons* aient laissé
mourir de faim d'autres hommes qu'ils appelaient
ouvriers, et cela au nom d'une religion qui répète
comme un perroquet : « Vous êtes tous frères,
vous êtes tous frères. » On va aller au quai.

LA MÈRE

Julia, je t'en supplie, accompagne-le!

JULES

Mais, maman, tous les trois, nous sommes trois
hommes calmes.

> *On frappe. Un silence. Ils se regardent. Julia
> va à la porte et l'ouvre.*

UN OUVRIER, *essoufflé.*

Petit Louis m'avait dit que je vous retrouverais
tous là. *(Saluant le Père et la Mère.)* Faites excuse,
j'ai couru, Jules, ils ont cané. A genoux les
patrons, à ras de terre dans la boue! Petit Louis,
t'es repris. Seulement, les copains ont répondu :
« Le malheur, monsieur Delaville, c'est que Petit
Louis, il est parti. Alors on va le chercher, et on
reviendra avec lui... demain matin. Une autre
fois, faudra dire oui tout de suite. » Si t'avais vu
la gueule de Delaville, tout seul sur le quai, avec
son bateau devant le nez!

> *Jules serre Julia dans ses bras.*

LA MÈRE

Alors, il y a pas grève? Julia, allume le gaz, et
toi *(à son mari)* ouvre une bouteille de ton cidre
bouché, puisqu'il y a pas grève.

JULES

Demain, tout le monde à l'heure exactement!
Et toi, Petit Louis, le premier. Leur montrer que
nous sommes une force organisée, que notre Syndicat n'a qu'une parole et qu'il tient parole.

LA MÈRE

Là, Jules je te reconnais!

LE PÈRE

Buvez un coup de cidre, car vous devez avoir
soif, tous, à tant parler.

GASTON

Merci, monsieur Durand.

L'OUVRIER

C'est pas de refus.

LA MÈRE

Et toi, vas-tu trinquer avec tout le monde,
puisque enfin tu es content?

JULES

Oui, maman, comme à l'habitude...

JULIA, *avec un tendre reproche*.

Jules, pour faire plaisir à ta mère?

JULES

Mes amis, buvez le cidre de mon père; il est
sûrement bon et il vous l'offre de bon cœur. Moi,
j'ai juré de ne boire que de la flotte tant que nos
camarades se soûleront dans les bistrots ouverts

sur les lieux de travail. Ces messieurs de la Côte savent que je ne bois que de l'eau. Et ils en ricanent, paraît-il, mais ils paieraient cher celui qui me ferait boire mon premier verre d'absinthe. Et mon verre d'eau les fait trembler.

LA MÈRE

Je voudrais être aussi contente que toi, mon gars, mais je ne peux pas.

JULES

Demain soir, réunion Salle Franklin, mise au point de nos revendications : un franc par heure, salaire double le dimanche; fermeture des bistrots, douches après le travail...

LE PÈRE

Des douches?!

GASTON

On peut toujours les demander...

JULES

Mise en demeure de la Compagnie, et si elle refuse, la grève, jusqu'à la reconnaissance de nos droits. Mais, papa, on nous dit : « Faut que les bateaux partent », d'accord. Mais faut aussi que les hommes puissent vivre. Non? A quoi serviraient les bateaux sur la mer s'il n'y avait plus d'hommes vivants sur la terre? En rentrant, passez par le quai et assurez-vous que personne ne travaille.

L'OUVRIER

Tous les compagnons sont partis.

JULES, *à l'Ouvrier.*

Accompagne-les. Et à demain, sur le quai, à l'heure de l'embauche. Je serai là.

LES AUTRES

A demain, Jules. *(Aux Autres.)* Avec nos excuses.

> *Salutations. Sorties. Un silence. Jules boit encore un verre d'eau.*

LE PÈRE

Et tu crois que les patrons vont te laisser faire?

JULES

Ça m'étonnerait qu'ils m'envoient des fleurs.

LA MÈRE

Et tu crois que tous les dockers vont t'obéir au doigt et à l'œil?

JULES

Oh! oui, tant qu'ils ne seront pas soûls.

LE PÈRE

Alors, ils les soûleront!

LA MÈRE, *à Jules.*

C'est toi qui te soûles de paroles.

> *Entre Mme Capron, avec un enfant dans les bras. Elle habite la maison.*

MADAME CAPRON

Je vous demande pardon. Je venais aux nouvelles. *(A Jules.)* Qu'est-ce qui se passe sur le quai?

LA MÈRE, *vite.*

Rien. Rien du tout.

MADAME CAPRON

J'ai entendu dire, par le fils Mesnil, qu'on parlait de grève sur le tas.

JULES

Non. Le Syndicat décidera seulement demain.

MADAME CAPRON, *s'asseyant, lasse.*

J'étais descendue guetter mon mari. Ah! Monsieur Jules! on pourrait pas fermer les bistrots à l'heure de la paye?

LA MÈRE

C'est pas parce qu'un bistrot est ouvert qu'on est obligé d'y entrer pour boire.

MADAME CAPRON, *se relevant.*

Je vais remonter chez moi. La grève, bien sûr, s'il faut, il faut! Mais comment vont faire ceux qui n'ont rien, même plus de crédit chez l'épicier?

CAPRON, *par la fenêtre, apercevant sa femme.*

T'es encore là, toi!

MADAME CAPRON

Et toi, d'où que tu viens? *(Aux autres.)* Je remonte chez nous. Avec sa démarche de crabe, il doit être encore frais!

CAPRON, *entrant par la porte.*

Salut l'assemblée.

MADAME CAPRON

Allons, viens-t'en chez nous.

CAPRON

Laisse-moi souffler un peu. *(A Jules.)* Alors, demain, on travaille, ou on travaille point?

MADAME CAPRON

Avant de remonter, je vais aller au pain, donne-moi des sous.

CAPRON

Et prends aussi des douillons, pour les gosses. Tu paieras demain...

MADAME CAPRON

Avec quoi?

CAPRON

T'occupe pas! Delaville nous a dit qu'il embaucherait cette nuit, à triple paye.

MADAME CAPRON

Si jamais il y a grève, et que tu travailles, entends-moi bien : je te foutrai à l'eau. Et toujours soûl comme tu l'es, j'aurais besoin de personne pour m'aider.

CAPRON

Quand je travaille point, elle me bouscule, et quand je veux travailler, elle veut point.

MADAME CAPRON

Avec tes trois gosses qui crèvent la faim.

CAPRON

Qui qui les a mis au monde, ces trois gosses?
C'est toi ou c'est moi? Puisque c'est toi, t'as qu'à
t'occuper d'eux.

MADAME CAPRON

Ça suffit, montons chez nous.

CAPRON

Voilà le plaisir que je trouve quand je rentre
chez moi. Des mistoufles! des mistoufles!

JULIA

Je passerai tout à l'heure chez le boulanger pour
vous, madame Capron, et je vous monterai votre
pain.

CAPRON

Ah! voilà une femme aimable!

MADAME CAPRON

Vas-tu filer! Excusez-moi, j'étais seulement
venue aux nouvelles.

Ils sortent. Un silence.

LA MÈRE

Quand on a un mari ivrogne, on ne met pas
d'enfants au monde!

LE PÈRE

Et c'est pour des gars de cet acabit-là que tu
refuses une situation?

JULES

Quand je regarde un homme comme Capron,
c'est comme si je me voyais moi-même.

LA MÈRE

Qu'est-ce que tu viens nous chanter encore?

JULES

Je me vois, moi, à sa place. Je le vois, et c'est moi que je regarde. Seul un hasard a permis que je ne sois pas aussi malheureux que cet homme. Capron? Mais je le comprends comme s'il était mon frère.

LA MÈRE

Toi, le frère de cet ivrogne? T'as vraiment pas l'orgueil de ta famille.

JULES

Se mettre à la place des autres! Devenir les autres! Être l'autre! C'est pourquoi la poussière de charbon m'empêche de respirer, ici et partout, la nuit et le jour.

JULIA

Vous savez maman, je crois que Jules a raison.

LA MÈRE

Puisque tu lui donnes raison, on n'a plus qu'à se taire. Papa, toi et moi, on est des vieux, et de nos jours, la mode veut que ce soit rien que les jeunes qui comprennent, et qui commandent tout.

LE PÈRE

Allons nous coucher, il est tard.

JULIA

Jules et moi, nous allons donner à manger aux pigeons.

JULES

Bonsoir. *(Embrassades à la normande. Jules et Julia sortent vers la cour. Le Père et la Mère éteignent le gaz. La cuisine des Durand s'estompe dans le noir. Jules et Julia s'asseyent sur un banc dans la cour. Il y a des étoiles dans le ciel.)* Comment veux-tu que j'explique à mes parents qui m'aiment que j'ai toujours été un enfant malheureux? Je ne croyais plus en Dieu et je n'avais pas encore rencontré les hommes. J'étais seul, tout seul, tu entends Julia, sans rien comprendre à rien. As-tu déjà rêvé devant les vagues qui arrivent sur la plage? C'est ainsi que je voyais chaque génération venir, pendant cinquante ans, se rouler l'une après l'autre, sur le bord des siècles, et disparaître. Eh bien! maintenant, de n'être que l'éclaboussure d'un océan inconnu ne me fait plus trembler.

Comprends-moi, Julia, puisque nous allons tous les deux bientôt élever ensemble notre petit enfant : même si j'étais né riche, je ne pourrais pas rester riche; parce que je sais maintenant de quelle misère sort cet argent. Refuser de partager la souffrance des autres, c'est admettre cette souffrance, la justifier, et devenir responsable de cette souffrance.

Non, je ne vis plus seul : quand j'ai pris le Syndicat, ils étaient trente. Nous sommes quatre cents. Demain, tous les compagnons seront syndiqués. Nous serons huit cents. Et Roussel, cette canaille, non, ce n'est pas une canaille, c'est un aveugle et un sourd, il devra céder, ou bien ce sera la grève! Depuis un an, quatorze grèves ont éclaté, dans toutes les corporations, sauf chez les charbonniers, les quatorze ont triomphé. Nous triompherons.

Il faut que tu me comprennes, Julia, pour m'aider, parce que, même au milieu de mes compagnons, parfois, le temps d'un éclair, je retombe dans ma solitude. Et je me sens encore aussi seul que le petit garçon qui se perdait devant l'écume des vagues. Et la peur m'étrangle.

JULIA

Je t'aime, Jules... De toute mon âme.

JULES

Et tu m'approuves pour la grève?

JULIA

Bien sûr. Et dis-moi que notre enfant sera heureux.

JULES

Mais oui, ma chérie.

JULIA

Comme la nuit est belle.

JULES

Pleine d'étoiles inconnues! Combien de chants d'espoir sont sortis de la poitrine des hommes vers toutes ces lumières! Mais dans quel silence s'est éteinte tant d'espérance. Désormais, ce qui compte pour moi, c'est l'homme dont je peux toucher la main, dont je peux prendre la main, à qui je peux dire : « Courage mon vieux! Demain, nous serons vivants ensemble, et moins malheureux! »

JULIA

Tu entends les pigeons qui réclament?

JULES

Oui, eux aussi réclament. La vie, c'est une grande réclamation qu'il n'est pas commode d'apaiser. Si la Compagnie cède, on fera l'économie d'une grève. Je préférerais... C'est si dur une grève, avec les femmes et les gosses... Mais la Compagnie ne peut pas ne pas céder, devant notre union. Ah! Julia, je donnerais ma vie pour le bonheur des autres!

SCÈNE IV

Le boulevard peint par Raoul Dufy, avec la balustrade rouge devant la mer, Olivier en noir, chapeau haut de forme, canne à pommeau d'argent, Roussel en gris, chapeau melon, avec canne à bec recourbé. Ils vont à la Bourse; de temps à autre, ils rencontrent des négociants, des courtiers, et échangent avec eux de cérémonieux saluts.

OLIVIER

Mais, Roussel, je croyais que vous aviez placé des hommes à vous, à l'intérieur de ce Syndicat des Ouvriers charbonniers du Port?

ROUSSEL

C'est exact, monsieur le Président.

OLIVIER

Comment expliquez-vous, alors, que cette grève vienne d'être votée à l'unanimité?

ROUSSEL

Parce que je suis, moi aussi, convaincu de sa nécessité...

OLIVIER

Quoi?

ROUSSEL

...pour la briser, monsieur le Président, et du
même coup, détruire ce jeune Syndicat trop tur-
bulent. Une grève du charbon, déclenchée en plein
été, ne peut pas réussir. L'hiver, nous aurions eu
la population contre nous. Or, les grands froids
sont encore très loin.

Deux négociants en chapeau haut de forme.
Saluts cérémonieux.

UN NÉGOCIANT

Belle journée, mon cher Buggenhart!

OLIVIER

Magnifique journée, cher Delamotte!

ROUSSEL, *reprend.*

Demain, les journaux expliqueront que la grève
contraint nos navires à se dérouter sur Rouen et
Dunkerque. Si la grève dure quinze jours, nous
serons dans l'obligation de dérouter nos autres
navires sur Hambourg. Le public laissera-t-il un
ramassis d'ivrognes, traînant la savate, ruiner
notre port au profit des ports allemands?

OLIVIER

Ces messieurs ont une grande confiance dans
vos analyses et votre énergie.

ROUSSEL

Je les en remercie. Il importe en effet que certaines décisions soient prises en commun, sans que

la ville sache qu'il y a une entente entre nous.
A la vérité, personne ne sera dupe. Mais le respect
de certaines apparences donne une puissance
supplémentaire à des entreprises dont le secret
n'a pas à être dévoilé inutilement. Dieu sait que
je ne considère pas la vie comme un jeu, et pourtant, comme dans un jeu, on doit se masquer,
imaginer des feintes, cacher ses cartes.

OLIVIER

Êtes-vous bien certain que toutes ces occupa-
tions ne soient pas un jeu affreusement triste?

ROUSSEL

Quand on perd, peut-être.

OLIVIER, *violent*.

Quand on perd quoi? Et qu'on gagne quoi?

UN NÉGOCIANT, *salutations*.

Et comment votre chère sœur supporte-t-elle
son terrible deuil?

OLIVIER

Avec une grande résignation chrétienne! *(Salutations. A Roussel.)* Et si la grève s'éternise?

ROUSSEL

Dans un an, ce Syndicat tout neuf eût constitué
une manière de petit trésor de guerre pour nous
tenir tête. Aujourd'hui, il déclenche ce combat
avec une caisse de secours vide. La grève ne durera
pas plus longtemps que le crédit chez l'épicier. Et
lorsque sur mon ordre, mes hommes, un à un,
reprendront le travail, après avoir été lors des pre-

mières réunions d'acharnés futurs grévistes, leur
ralliement démoralisera d'autant plus efficace-
ment les autres. Et il n'est jamais inutile de démoraliser l'adversaire.

OLIVIER

Recevez donc leur délégation, et refusez tous
leurs desiderata.

ROUSSEL

Recevoir Durand et ses acolytes? A cet inquié-
tant personnage qui nous a humiliés, voici huit
jours, en retardant de vingt-quatre heures le
départ du *Provence*, offrir ce prestige de discuter
avec nous? Ils parleront dehors, à ma porte
fermée.

UN NÉGOCIANT *passe, salutations.*

Alors, mon cher, le bruit court, à la Bourse, que
vous êtes menacés de grève?

OLIVIER

Je viens de l'apprendre. J'en suis désolé.

ROUSSEL

N'est-il pas désolant que des ouvriers sans responsabilité financière puissent paralyser l'un des
plus grands ports du pays, au profit de Sa Majesté
Guillaume II? Et que l'arrivée, le départ de nos
cargos soient à la merci de leurs hoquets alcoo-
liques?

LE NÉGOCIANT

Nous sommes tous derrière vous, cher monsieur
Roussel.

Salutations.
Pendant l'enchaînement de lumière on entend
des crieurs de journaux.

LA VOIX

Dernières nouvelles de la grève!
Le nom des cargos en panne dans le port.
Malaise persistant à la Bourse.
Dernières nouvelles de la grève!
Le port complètement paralysé.
Le Conseil municipal prend position.
Dernières nouvelles de la grève!

Et enchaînement de lumière.

SCÈNE V

Un fond de maisons.
A l'avant-scène à droite, une amorce d'épicerie, à
gauche une amorce de charcuterie. Les ouvriers char-
bonniers, avec un brassard rouge, un tronc en métal à
la main, quêtent dans les rues au nom du Comité de
grève.

PREMIER OUVRIER

Pour nos femmes!

DEUXIÈME OUVRIER

Pour nos enfants!

TROISIÈME OUVRIER

Pour les ouvriers charbonniers en grève!

Un autre groupe.

QUATRIÈME OUVRIER

Pour nos femmes!

CINQUIÈME OUVRIER

Pour nos enfants!

SIXIÈME OUVRIER

Pour les ouvriers charbonniers en grève!

Le premier groupe à la porte de l'épicerie.

L'ÉPICIER

C'est pour aller boire le coup, hein?

PREMIER OUVRIER

C'est pour la Caisse de solidarité.

DEUXIÈME OUVRIER

On gagnait neuf francs par jour.

TROISIÈME OUVRIER

Exactement, quatre francs cinquante pour quatre heures.

PREMIER OUVRIER

Et les bonnes semaines, on travaillait trois demi-journées.

L'ÉPICIÈRE

Mais faut changer de métier.

PREMIER OUVRIER

Pourquoi vous êtes épicière?

L'ÉPICIER

Dame, parce qu'on a acheté une épicerie.

Il rit.

DEUXIÈME OUVRIER

Nous, on peut rien acheter.

TROISIÈME OUVRIER

C'est nous qu'on achète, et on nous paie pas le prix.

L'ÉPICIER

Voilà dix sous.

L'ÉPICIÈRE

Et mangez ça, c'est une boîte de miettes de thon.

PREMIER OUVRIER

Ce sera pour les gosses, qui ont encore plus faim que nous.

DEUXIÈME OUVRIER

Et eux, les pauvres gosses, ils savent même pas pourquoi ils ont faim!

L'autre groupe devant la charcuterie.

LA CHARCUTIÈRE

Vos grèves, ça fait du tort au petit commerce!

LE CHARCUTIER

D'abord, pourquoi vous êtes grévistes?

QUATRIÈME OUVRIER

Parce que la grève a été votée.

CINQUIÈME OUVRIER

Ils ont installé, sur les quais, des machines. Il y en a une, la Tancarville, avant la grève, elle avait mis cent cinquante compagnons sur le tas.

LA CHARCUTIÈRE

C'est le progrès.

SIXIÈME OUVRIER

D'accord, mais pendant ce temps-là, faut tout de même qu'on mange!

QUATRIÈME OUVRIER

Sur les bénéfices de la machine, on veut vingt sous d'augmentation!

LE CHARCUTIER

Vous voulez que vos patrons vous paient pour regarder tourner la machine?

CINQUIÈME OUVRIER

Si une coopérative venait vendre du saucisson à moitié prix devant votre porte, ce serait aussi le progrès, et qu'est-ce que vous diriez?

LA CHARCUTIÈRE

Ça va! Ça va! voilà dix sous, mais ne revenez pas.

PREMIER OUVRIER, *du premier groupe*.

Pour nos femmes!

DEUXIÈME OUVRIER

Pour nos enfants!

TROISIÈME OUVRIER

Pour les ouvriers charbonniers en grève.

Passent un bourgeois et une bourgeoise.

LA BOURGEOISE

Les anarchistes! Allons-nous-en! J'ai peur.

PREMIER OUVRIER, *quêtant*.

Pour qu'il y ait moins de misère!

DEUXIÈME OUVRIER

Pour qu'il n'y ait plus de pauvres!

LA BOURGEOISE

Venez mon ami! Ce sont des fous! S'il n'y avait plus de pauvres, il n'y aurait plus de riches! Alors qu'est-ce qu'on deviendrait, nous?

QUATRIÈME OUVRIER, *du deuxième groupe.*

Pour nos femmes.

CINQUIÈME OUVRIER

etc.

Pendant l'enchaînement de lumière sur...

SCÈNE VI

Fin de soirée.
Dans la cour apparaît la cuisine des Durand. La
mère et Julia tricotent.

JULIA

Si Jules ne faisait pas ce qu'il fait, il serait pas
heureux.

LA MÈRE

Je demande que ça, qu'il soit heureux, mais
pourrait-il pas aussi penser un peu au bonheur
des autres?

JULIA

Vous trouvez qu'il pense pas assez au bonheur
des autres?

LA MÈRE

Je te parle pas des autres qu'on connaît pas!
Pour moi, les autres, c'est son père, sa mère, c'est
toi.

JULIA

Jules ne ressemblera jamais à l'homme dont vous

avez rêvé quand il était petit garçon; alors il igno-
rait tout de l'existence. Depuis, il a ouvert les
yeux. Et votre fils ne peut plus les refermer. Voilà
la vérité.

LA MÈRE

Il ne peut plus refermer les yeux?

JULIA

Non. Et ce qu'il voit, il me l'a montré, et moi
aussi, maintenant, je le vois pour toujours; on n'a
pas le droit d'amener les hommes affamés à voler,
et leur reprocher leur vol; de leur vendre de l'alcool et les traiter d'ivrognes.

LA MÈRE

Mais il n'y est pour rien, dans tout ça.

JULIA

Une fois qu'on sait, si l'on se tait, on y est
toujours pour quelque chose.

LA MÈRE

Quand tu seras vieille, à ton tour, et fatiguée...

JULIA

Quand je serai vieille, je vivrai en laissant les
jeunes vivre comme des jeunes.

LA MÈRE

Pourquoi l'excites-tu! Moi qui rêvais de tran-
quillité, tous les quatre, avec vos mioches qui
auraient poussé autour de nous!

JULIA

Qu'auraient poussé comme des poussins? En attendant qu'on leur torde le cou, comme à des poulets? Il n'est pas né, votre fils, pour vivre dans une basse-cour.

Un silence.

LA MÈRE

Sais-tu où est papa, en ce moment? Convoqué, après dîner, par la direction, parce que des listes de soutien pour la grève ont circulé... La direction a pu prendre copie des listes, et on parle de mettre à pied tous ceux qui ont cotisé. Et papa s'était inscrit... A cause de Jules!

JULIA

Et vous trouvez ça bien?

LA MÈRE

Et si papa est renvoyé, ce sera mieux? Les patrons n'aiment pas qu'on leur cherche des misères.

JULIA

Pourquoi nous obligent-ils à leur chercher des misères? *(Un silence.)* Moi aussi, tout comme vous, je suis inquiète et tremblante.

LA MÈRE

De quoi t'as peur, toi?

JULIA

Jules, tout seul, vient de vider le port. Les patrons doivent penser que Jules disparu... J'ai

peur d'un traquenard, d'une bagarre organisée·
maman, j'ai peur qu'on le jette au bassin.

LA MÈRE

Tu deviens folle? Comment peux-tu imaginer
que ces Messieurs de la Côte... De nos jours, on
n'assassine pas exprès des honnêtes gens? Et nous
avons toujours été des ouvriers convenables...
Dans notre famille, il n'y a jamais eu de criminels,
ni de crimes... Julia! Julia! Tu penses de telles
horreurs, et tu n'exiges pas de Jules qu'il reste à
la maison? Où est-il en ce moment?

JULIA

Au Comité de grève qui siège en permanence.

LA MÈRE

Et comme devant une maladie, on ne peut rien
faire; sinon... attendre... attendre... et prier le Bon
Dieu! Qui pourra jamais te dire, Julia, combien
j'aurai attendu dans ma vie! Quand, il y a cinq
ans, en revenant des quais, Jules était tombé à
bicyclette...

JULIA

Vous savez pourquoi?

LA MÈRE

Pourquoi il est tombé?

JULIA

Vous savez comment?

LA MÈRE

Comment il est tombé?

JULIA

Il s'était lancé exprès sur le trottoir, sachant qu'il pourrait en mourir.

LA MÈRE

Exprès?

JULIA

Un chat affolé s'était jeté devant sa roue. Pour ne pas l'écraser, il a tourné son guidon vers le trottoir...

LA MÈRE

Et ce serait pour un chat perdu...

JULIA

A cette époque, papa n'avait-il pas un chat qu'il aimait tant, paraît-il?

LA MÈRE

La sale bête! Elle voulait jamais venir se coucher. Et le soir dans la cour : « Minet! Minet! » Papa ne pouvait pas aller dormir avant de l'avoir rentré. Avec les ciseaux qui coupaient le mou, il tapait sur son assiette : « Minet! Minet! » Ah! c'était la grande prière de tous les soirs...

JULIA

C'est pourquoi Jules a voulu sauver l'autre, à tout prix. Il s'est dit dans un éclair : « Un homme aime peut-être cette bête, comme papa aime la sienne. » Pour Jules, il n'y a pas de vivants anonymes. Il pense toujours à l'autre, comme s'il était lui-même l'autre.

LA MÈRE

[Et si on me l'avait ramené le crâne fendu? Je te le répète [1] :] Jules pense peut-être toujours aux autres; mais jamais à moi!

Entre Jules.

JULES

Bonjour maman, salut, Julia.

Il les embrasse.

LA MÈRE, *dont la colère tombe.*

Ce que je voulais te dire, je te le dirai demain, car ce soir t'as l'air bien fatigué, mon garçon.

JULES, *excité.*

[Ce n'est pas difficile de voir ce qui clochait dans le passé lorsqu'on a mis les nouvelles choses en place, mais, au jour le jour, découvrir, dévoiler les injustices... même quand on est à l'affût, c'est pas commode. On vit si mêlé à l'injustice qu'on s'y habitue, qu'on la trouve normale, inévitable; on ne sait même pas que c'est une injustice et les coupables se croient innocents [1].] Combien y a-t-il dans la ville, ce soir, d'hommes qui dîneront avec honte, parce que nos gosses vont se coucher sans souper? Pas un! Pas un! Et comment un homme peut-il manger sans remords, quand un enfant, à côté de lui, crie famine?

JULIA

Le délégué de la C. G. T. de Paris, va-t-il venir?

1. Peut être coupé à la représentation.

JULES

Oui, pour la réunion de demain matin. *(Un silence.)* La chambre de Commerce est intervenue contre nous.

JULIA

Ça t'étonne?

JULES

Avant la grève ils n'étaient jamais d'accord entre eux, mais depuis la grève, à la Bourse, ils s'entendent comme larrons en foire. La police recherche parmi les grévistes les interdits de séjour, dont elle tolérait la présence. Demain, ils auront le choix entre la reprise du travail, ou la prison.

LA MÈRE

T'en fais pas un monde, vous reprendrez le travail, voilà tout!

JULES

...pour un ouvrier qu'a pas mangé pendant quinze jours, la rentrée au chantier, tête basse, devant les contremaîtres qui rigolent...

JULIA

Puisque la C. G. T. de Paris t'envoie un délégué pour t'aider.

JULES

C'est mon seul espoir, maintenant.

LA MÈRE

Je t'ai fait chauffer un bol de soupe.

JULES

Merci maman, j'ai pas faim.

LA MÈRE

T'as pas faim?

JULES

J'ai mangé avec les camarades, à la cantine.

LA MÈRE

Tu refuses à ta mère un bol de soupe?

JULES

Gaston va venir. Tu le lui donneras. Il n'a pas de mère, lui, et il est plus fatigué que moi; pauvre trésorier de notre caisse vide!

LA MÈRE

T'as voulu le bonheur de tout le monde, et t'as du chagrin, en plus! Personne veut m'écouter : pour les pauvres, il n'y a que le travail, le silence et le Bon Dieu!

JULES

Qui t'a dit ça? Des curés riches?

LA MÈRE

Il y a aussi des curés pauvres.

JULES

Pas au Vatican! Pas à Rome! Et c'est le Vatican, tout couvert de dorures, qui commande!

LA MÈRE

Mais qu'est-que ça peut bien te fiche tous ces

mots-là au milieu de notre cuisine, perdue dans la misère du pauvre monde?

JULES

Aujourd'hui, ton Jésus, s'il vivait, il serait avec moi dans la poussière du charbon, où j'ai jamais rencontré même un curé.

Dans la cour apparaît Capron, ivre, suivi de sa femme.

CAPRON

Quand je turbine pas, faut que tu gueules, et quand je turbine, faut que tu gueules encore.

MADAME CAPRON

Tes enfants rougiront de toi, à l'école!

CAPRON

Faut-il pas qu'ils bouffent, mes gosses?

MADAME CAPRON, *entrant chez les Durand.*

Savez-vous d'où il arrive, mon mari? Des quais!

CAPRON, *entrant à son tour, à Jules.*

Eh ben! moi, je vous le dis, et devant votre mère encore. Y a pas de quoi se vanter quand on brouille la paix des ménages!

MADAME CAPRON

Depuis six jours, il travaille vingt-quatre heures sur vingt-quatre!

CAPRON

Et elle dit que je suis feignant!

MADAME CAPRON

Monsieur Durand, combien j'aurais touché s'il avait fait grève comme les autres?

JULES

Cinquante centimes par jour pour lui, autant pour la femme, autant par gosse. Mais à partir de demain, ce sera seulement cinq sous par jour.

MADAME CAPRON

Julia, ça fait combien, tout ça, pendant six jours?

JULIA

Six fois deux francs cinquante, quinze francs.

MADAME CAPRON

Eh bien! je retiens mes quinze francs, et pour la caisse de solidarité, voilà le reste de ce qu'il me rapporte.

CAPRON

Tu ravitailles la grève avec mon argent?! T'es pourtant pas soûle, toi? Eh ben! Tu reverras plus jamais la couleur de mes sous. Et demain tu demanderas au Syndicat de te nourrir. D'abord, c'est ton droit, puisque moi aussi, j'en suis du Syndicat.

JULES

Non, tu n'en es plus. On t'a supprimé.

CAPRON

On m'a supprimé?

MADAME CAPRON

Puisque tu travailles, renard!

JULES

J'ai fait voter ta suppression en réunion plénière.
Ton nom est rayé de nos listes!

CAPRON

Tant mieux! j'y mettrai plus les pieds dans
votre ramassis de feignants! Parce que moi, je
suis un homme.

Il sort.

MADAME CAPRON

Je vais essayer de le boucler chez nous, monsieur
Durand, pour qu'il ne retourne pas sur le quai.
(Elle sort et cherche dans le noir.) Où es-tu,
soûlot?

JULES

Tu vois, maman, si le Bon Dieu existait, ces
pièces-là, comme le pain du désert elles se multi-
plieraient et sauveraient à jamais les hommes de la
misère. Moi-même, je ne me sens pas digne d'y
toucher. C'est toi, Julia, qui les porteras demain
à la caisse du Comité.

MADAME CAPRON *découvre son mari,*
caché dans la cour.

Ah! te voilà! Renard!

CAPRON

Si Durand il continue à se mettre en travers de
mon ménage, je lui crèverai la peau, t'entends!

Il titube.

MADAME CAPRON, *le retenant.*

Remonte à la maison cuver ton vin, malheureux!

Le Délégué de la C.G.T. accompagné de deux ouvriers.

UN OUVRIER

C'est ici.

LE DÉLÉGUÉ

Merci camarades. Inutile de m'attendre. Je m'arrangerai avec Durand pour le retour.

L'AUTRE OUVRIER

On peut repasser te prendre pour te ramener Salle Franklin.

LE DÉLÉGUÉ

Alors, vers onze heures. Merci. Salut. *(Le Délégué frappe à la porte des Durand. Jules étonné va à la porte et ouvre.)* Citoyen Durand? Tavel, Raymond, délégué de la C.G.T.

JULES

Ah! citoyen, sois le bienvenu! Je t'attends avec une telle impatience! *(Il présente.)* Ma mère, ma compagne.

LE DÉLÉGUÉ, *fatigué et las.*

Vous permettez? *(Il prend une chaise.)* Je suis habitué à courir à travers la France, mais ce soir... *(A Jules.)* Je voulais te voir seul, avant la réunion de demain matin.

LA MÈRE

Avaleriez-vous un bol de soupe bien chaude?

LE DÉLÉGUÉ

Avec un grand plaisir même!

LA MÈRE

Et pourriez-vous dire à mon gars d'en avaler
un aussi? *(Le Délégué interroge du regard.)* Il
refuse de manger, sous prétexte que les autres ont
faim.

LE DÉLÉGUÉ, *ahuri*.

Tu refuses de manger?

LA MÈRE

A qui peut-il bien faire tort en mangeant un bol
de soupe chez sa mère?

JULES

Comment pourrais-je demander aux camarades
de crever de faim, si moi-même, d'abord, je n'ai
pas le ventre vide?

LE DÉLÉGUÉ

Citoyen Durand, ce n'est pas ton ventre vide qui
fera triompher les revendications ouvrières, mais
les décisions que nous prendrons dans le calme,
avec des idées nettes. La famine, elle est excel-
lente, mais seulement pour rassembler nos troupes.
Et puisque le patronat est assez bête pour nourrir
les ouvriers de briques à la sauce cailloux, profi-
tons-en! Mais à ces ouvriers en révolte, il faut
donner des mots d'ordre utiles. Et ce n'est pas

un bol de soupe, bien au contraire, qui nous empêchera de mettre au point ces mots d'ordre.

LA MÈRE, *heureuse, avec deux bols de soupe.*

Julia, donne aussi les étrilles que papa a pêchées dimanche. Si vous les aimez...

LE DÉLÉGUÉ

Oui, je les aime, et j'en mange pas souvent, hélas.

LA MÈRE

Ce n'est pas que ça nourrisse, mais en parlant, ça occupe.

JULIA

Voilà le pain et la boisson. Alors, on va vous laisser...

LA MÈRE

Mais, où allez-vous coucher?

LE DÉLÉGUÉ

Chez un camarade, près de la Salle Franklin.

JULES

Je te reconduirai, citoyen.

JULIA, *au Délégué.*

Alors, appelez-moi, avant de partir. J'irai avec vous, pour tenir compagnie à Jules, pendant le retour.

LE DÉLÉGUÉ

Inutile, on va venir me chercher.

LA MÈRE

Et qu'il finisse bien sa soupe, hein?

JULIA

Venez maman. *(A Jules.)* Je tricoterai dans la chambre à côté.

LA MÈRE

Bonsoir.

Elles sortent.

LE DÉLÉGUÉ

Alors, camarade, combien de jours penses-tu pouvoir encore tenir?

JULES

Combien de jours? Mais tant qu'il faudra! Un échec est impossible. Si on échouait, tout serait perdu.

LE DÉLÉGUÉ

Rien n'est jamais perdu. Quelquefois, localement, temporairement. Et encore! Quand on croit tout perdu, on trouve toujours quelque chose à sauver.

JULES

La Compagnie déroute ses navires, et les Syndicats charbonniers des autres ports n'ont pas refusé le travail.

LE DÉLÉGUÉ

Tu avais demandé des assurances avant de déclencher ta grève?

JULES

Non.

LE DÉLÉGUÉ

Alors!?

JULES

Mais s'il y avait eu grève à Dunkerque, crois-tu que j'aurais accepté qu'on travaille ici? D'autre part, une Coopérative de déchargement soi-disant ouvrière mais en fait capitaliste, qui possède un matériel... Avant la grève, jamais ils ne s'étaient entendus sur les prix de location... La Coopérative a consenti à jouer le rôle de trahison ouvrière. Les négociants ont maintenant à leur disposition des engins automatiques... Et, pour en assurer le fonctionnement, ils cherchent des jaunes qu'ils paient n'importe quel prix, alors qu'ils nous refusent nos vingt sous d'augmentation.

LE DÉLÉGUÉ

Quelles dispositions as-tu prises pour empêcher le travail des jaunes?

JULES

Nous les supprimons du Syndicat.

LE DÉLÉGUÉ

Et c'est ça qui les empêche de travailler?

JULES

Afin d'obtenir le droit de collecter en ville pour la Caisse de solidarité je me suis engagé, auprès du Maire, à respecter la liberté du travail.

LE DÉLÉGUÉ

Et après?

JULES

Comment « Et après »? Une parole donnée doit être une parole respectée.

LE DÉLÉGUÉ

Parce que tu crois que le patronat, quand il promet quelque chose...

JULES

Ai-je engagé le combat pour ressembler à un patron?

LE DÉLÉGUÉ

Quand on engage un combat, c'est pour le gagner. Et ce n'est pas la justice qui fait gagner les batailles, c'est la force. Il faut être le plus fort. Voilà tout. Revenons aux choses sérieuses. D'après toi, si tu pouvais empêcher l'appareillage de tous les navires, combien de temps le port pourrait-il tenir?

JULES

Un mois, peut-être six semaines.

LE DÉLÉGUÉ

Et pour le ravitaillement des usines en charbon?

JULES

En ce moment, ils ravitaillent les usines avec les stocks des foyers domestiques prévus pour l'hiver.

LE DÉLÉGUÉ

Parce que vous avez cru malin de déclencher une grève du charbon en plein été?

JULES

On ne pouvait plus attendre. Tu ne peux pas imaginer la misère de mes compagnons. Et la grève a été votée à l'unanimité.

LE DÉLÉGUÉ

Oui, même les jaunes d'aujourd'hui l'avaient votée... Elles sont rudement bonnes les étrilles de ton père. Bois un coup de cidre. C'est ton père qui le brasse?

JULES

Merci, je bois de l'eau.

LE DÉLÉGUÉ

C'est vrai! On me l'avait dit. Mais tu bois de l'eau même quand t'es tout seul? On m'a dit aussi qu'il y a deux ans, tu avais témoigné en conseil des prud'hommes contre un ouvrier.

JULES

Il avait volé.

LE DÉLÉGUÉ

S'il avait volé, c'est sa condition d'ouvrier qui l'avait amené à voler. Et c'est sa condition d'ouvrier qui était condamnable, mais pas l'ouvrier.

JULES

Je n'étais pas juge, mais témoin; et j'avais été

témoin du vol. La parole d'un syndiqué ne doit jamais être mise en doute. A-t-on le droit de salir une cause juste?

LE DÉLÉGUÉ

Tout est juste dans une cause juste.

JULES

Même un mensonge?

LE DÉLÉGUÉ

Tout ce qui sert une cause juste devient juste. Et tout ce qui affaiblit une cause juste doit être condamné. Ce n'est pas parce qu'une grève est juste qu'on la déclenche. On la déclenche quand elle doit réussir. On ne fait pas de politique. Ni toi. Ni moi. Nous sommes des syndiqués, voilà tout. Mais en dehors du Syndicat, t'es anar?

JULES

Anarchiste révolutionnaire.

LE DÉLÉGUÉ

On m'a dit aussi que tu étais inscrit à la Ligue des Droits de l'Homme?

JULES

Pour y défendre la dignité de l'homme.

LE DÉLÉGUÉ

La dignité de l'homme ce sera pour plus tard, citoyen Durand. En ce moment on fait le coup de poing. Et crois-en mon expérience, il n'y a pas de dignité humaine dans la guerre! oui, la

guerre! Et la guerre sociale est la plus impitoyable
de toutes les guerres.

JULES

Et de Paris, quel secours m'apportes-tu?

LE DÉLÉGUÉ

Un appui moral sans réserve.

JULES

Et pour parler comme toi, citoyen : pratique-
ment?

LE DÉLÉGUÉ

Ça me semble foutu!

JULES

Et Paris admettrait l'échec de notre grève?

LE DÉLÉGUÉ

Crois-tu à une discussion possible avec le patronat pour une reprise du travail?

JULES

Ils refusent de nous recevoir. Ils veulent notre
destruction, notre humiliation, notre misère.

LE DÉLÉGUÉ

Bien sûr! Mets-toi à leur place.

JULES

A leur place? Ah! ça non!

LE DÉLÉGUÉ

Tu as tort. Toujours se mettre à la place de

l'autre. De cette place-là, si tu raisonnes juste, on voit ce qui cloche chez l'autre, et alors, c'est à cet endroit-là que tu frappes!

JULES

Je n'ai pas organisé une partie de dominos. Et d'abord, quand j'essaie de me mettre à la place de l'autre, ce n'est pas pour le frapper... Quand tu verras la misère de mes compagnons...

LE DÉLÉGUÉ

Et après une grève ratée, ils seront moins malheureux?

JULES

Citoyen délégué, puis-je te demander pourquoi tu as pris la peine de prendre le train?

LE DÉLÉGUÉ

D'abord, parce que tu nous as appelés à l'aide, ensuite parce que l'on veut t'aider, si possible.

JULES

Notre caisse est vide. Peux-tu la remplir? Les autres ports acceptent de décharger les bateaux qui auraient dû être immobilisés ici. Tu dois nous obtenir la grève des charbonniers dans les autres ports...

LE DÉLÉGUÉ

...de France, de Navarre et de l'étranger? Et aussi des chemins de fer qui transportent le fret de ces bateaux-là, et des postes et télégraphes qui transmettent les ordres et des journaux qui

racontent des boniments? En un mot, tu veux
qu'on déclenche une grève générale...

JULES

Pourquoi pas?

LE DÉLÉGUÉ

...et mondiale? hein? Tu crois donc, si une grève
générale était aujourd'hui possible, qu'on n'aurait
attendu que toi pour tirer la cloche du départ?
Surtout que tu ne sembles pas très bien savoir ton
heure pour les démarrages.

JULES

Eh bien! si t'as pris le train pour me démoraliser,
t'as pris le train pour rien!

LE DÉLÉGUÉ

Je ne veux pas te démoraliser, j'analyse la situation. D'ailleurs demain, Salle Franklin, je parlerai
en demandant la poursuite de la grève à outrance...

JULES

En sachant qu'elle est foutue?

LE DÉLÉGUÉ

Pour tirer tes copains de la poussière du charbon, tu n'aurais qu'un seul patron à tuer, tu le
tuerais?

JULES

La question n'est pas actuelle.

LE DÉLÉGUÉ

Eh bien! elle l'est pour les patrons. Si pour sauver leur situation, ils devaient te tuer, eux, ils n'hésiteraient pas.

JULES

Qu'en sais-tu ? Et pourquoi imiter ce qu'on veut faire disparaître?

LE DÉLÉGUÉ

Avec les fumiers, tous les coups bas sont permis.

JULES

Naturellement, t'es antimilitariste?

LE DÉLÉGUÉ

Et alors?

JULES

Mais tu es de ceux qui se battraient à coups de fusil contre les militaristes? Et t'arriverais à faire la guerre, parce que t'es contre la guerre! Moi, ce que je veux, c'est sortir de la guerre. Tu ne parleras pas demain, à la réunion. C'est moi tout seul, qui leur dirai la vérité. *(Il appelle.)* Julia! Julia! J'appellerai les camarades autour de moi, et je leur demanderai de rester près de moi, jour et nuit, sur la place de l'Hôtel-de-Ville, sans bouffer, sans bouger, comme des morts jusqu'à ce que les patrons aient honte, honte! *(A Julia qui est déjà entrée.)* Tu entends, Julia, comme des morts étouffés par la poussière et le malheur!

LE DÉLÉGUÉ

Citoyen Durand, quand une bataille est perdue, il faut accepter la défaite. Toi, tu vois ton Syndicat,

tes copains, la sale gueule satisfaite des contremaîtres, moi, je vois un ensemble. Et puis, qui sait?
Tout peut changer demain : la première grève que
j'ai faite, j'avais dix-sept ans. Cette grève-là aussi
semblait foutue. Mais les patrons de la mine ont
fait charger la cavalerie. Il y eut un mort, mon père.

JULES

Votre père?

LE DÉLÉGUÉ

A côté de moi. Le ventre ouvert d'un coup de
sabre. Je suis un ancien gamin qui a vu les boyaux
de son père vivant, et je le regardais se tordre de
douleur et d'épouvante, et cette main-là s'est traî-
née dans le sang qui coulait. Mais dans notre fau-
bourg, les patrons n'ont jamais pu se nettoyer de
ce sang-là! Pendant des années, ils ont fait un
détour pour ne jamais marcher sur les pavés de
cette rue où mon père était mort. *(En riant.)* Tiens,
camarade Durand, qu'ils t'assassinent demain, et
je te la promets pour ton enterrement, ta grève
générale! *(Puis, sérieux.)* Moi aussi, jusqu'à ce
jour-là, j'étais sentimental. Mais les patrons, vois-
tu, ont fait mon éducation. Et maintenant, je suis
de leur race. Je me bats comme eux — contre eux!
une seule différence : mon boulot, je le fais à l'œil,
sans bénéfice — et si je travaille, c'est comme toi,
citoyen Durand, pour libérer les prolétaires.

Entre le père Durand, en chapeau melon.

LE PÈRE

Ici, on libère les prolétaires? Eh bien! vous la
manigancez drôlement votre libération!

JULES, *au Délégué.*

Mon père! Papa, c'est un délégué de Paris.

LE PÈRE

Ça tombe bien! Vous pourrez leur dire, à vos acolytes, que grâce à eux et aux autres, je viens d'être libéré, après vingt-trois ans de bons et loyaux services, oui, j'ai été jugé élément douteux, fomenteur de troubles et je ne sais quoi encore sinon que demain, je n'ai plus le droit d'aller au chantier. J'ai plus le droit de travailler! Je ne sais pas si, vous aussi, vous avez fait renvoyer votre père de son travail...

LE DÉLÉGUÉ

Quel fait précis a provoqué le renvoi?

JULIA

Le père de Jules a fait circuler des listes de souscription pour le fonds de grève.

JULES

Toi? Mais alors, papa, tu m'approuverais? Et si tu savais, son père, à lui... Je te demande pardon, camarade...

LE DÉLÉGUÉ

Avaient-ils le droit de vous renvoyer? Non! Alors, vous comprenez maintenant la nécessité de notre combat.

LE PÈRE

Eux, ils m'ont dit : « Votre fils, qui ruine le port, en ce moment, il loge chez vous, vous le nourrissez.

Avec quoi? Avec l'argent que nous vous donnons. Mettez-vous à notre place, vous voulez que nous alimentions ceux qui nous combattent? Chassez votre fils de chez vous; ou vous ne faites plus partie de notre personnel. »

JULIA

Ne te décourage pas, Jules. Ce n'est pas encore la lutte finale. Et c'est seulement la lutte finale que tous ensemble vous gagnerez.

LE PÈRE

Jamais je n'aurais cru ça d'eux qui semblaient si bien élevés et si corrects. Les cochons! les cochons!

LE DÉLÉGUÉ

Oui, citoyen Durand, la partie de dominos dont tu parlais, nous la gagnerons parce que notre triomphe est dans la logique de l'Histoire. Dans la graine, il y a déjà la fleur et le fruit. Nous ne sommes que des jardiniers, mais essayons de ne pas planter à l'ombre les fleurs qui aiment le soleil, et dans l'argile les arbres dont les racines aiment la pierraille. Et armons-nous de patience. Un jardinier doit savoir attendre la moisson. 1910, ce n'est pas une date éternelle. C'est une année qui passe. L'Histoire ne s'arrête pas à 1910. Maintenant, regarde-moi, et crois-moi : les temps sont proches.

JULES

Papa, je te demande pardon, mais ce sont eux les coupables.

JULIA

On verra clair demain.

JULES, *au Délégué*.

Mais demain? Demain à la réunion...

LE DÉLÉGUÉ

Tu peux tenir encore huit jours? Eh bien! d'ici huit jours, on verra.

JULES

Moi qui espérais ton aide, car sans ton aide...

Le Délégué sort.
Jules étreint Julia.
Arrive la Mère qui vient de se lever, avec un fichu sur les épaules.

LA MÈRE, *au Père*.

Qu'y a-t-il de cassé? Ces messieurs, qu'est-ce qu'ils t'ont dit?

LE PÈRE

Ces messieurs? Des cochons!

JULES

Faire encore crever de faim des femmes, des gosses, pendant huit jours, pour rien? Et ils t'ont reproché de me nourrir? J'aurais pas dû manger la soupe! J'aurais pas dû manger la soupe! Julia, comment sortir ces hommes de la poussière où ils étouffent?

Enchaînement de lumière sur...

SCÈNE VII

... La nuit. Le port. Le quai. Près d'un tas de barriques, quatre ouvriers grévistes.

PREMIER GRÉVISTE

Voilà les barriques.

DEUXIÈME GRÉVISTE

Celles qu'on cherche? T'es sûr?

TROISIÈME GRÉVISTE

Sûr et certain. C'est là qu'ils ont déchargé *Les Antilles*.

QUATRIÈME GRÉVISTE

Et ça sent chouette le rhum!

PREMIER GRÉVISTE

Passe-moi la vrille.

DEUXIÈME GRÉVISTE

Va guetter, toi. Je ne boirai pas tout, tout seul.

PREMIER GRÉVISTE

Et du rhum supérieur!

TROISIÈME GRÉVISTE

Prends le siphon.

DEUXIÈME GRÉVISTE

Vous endormez pas dessus!

TROISIÈME GRÉVISTE, *aux autres.*

Puisqu'ils nous donnent pas à bouffer, qu'ils nous donnent au moins la boisson!

DEUXIÈME GRÉVISTE, *au Premier.*

T'as pas encore fini de biberonner?

QUATRIÈME GRÉVISTE

Vide pas la barrique. Et laisse le caoutchouc en place...

DEUXIÈME GRÉVISTE

Vos gueules, qu'on nous dérange pas avant que ce soit mon tour.

PREMIER GRÉVISTE, *au Troisième.*

A toi!

QUATRIÈME GRÉVISTE

Et le rhum, c'est plein de sucre, ça nourrit!

PREMIER GRÉVISTE

Ça tombe bien, moi qui avais pas bouffé depuis deux jours.

De l'autre côté, à la sortie de la passerelle.

DELAVILLE

T'es pas dingue d'aller à cette heure-là sur le quai?

CAPRON

J'en ai marre de ton charbon. Et pourquoi j'irais pas sur le quai?

DELAVILLE

Parce que s'ils te rencontrent, ils vont t'esquinter.

CAPRON

M'esquinter, moi? *(Hurlant.)* Qu'ils y viennent ces jean-foutre!

DELAVILLE

Puisque t'as un plumard à bord!

CAPRON

Possible, mais j'ai des amitiés en ville. Je possède une femme, moi, et trois gosses. Et je ne veux pas qu'ils traînent dans la rue, mes trois gosses.

DELAVILLE

Puisque t'as tout le pinard que tu veux à bord... Parce que si tu te fais choper, par... par les chômeurs volontaires.

CAPRON

Quels chômeurs volontaires?

DELAVILLE

Les crève-la-faim...

CAPRON

Eh ben! qu'ils approchent! *(Il hurle.)* Amenez vos gueules, tas de voyous!

DELAVILLE, *lui donnant un revolver*.

Fais moins de bruit, et prends ce pétard.

CAPRON, *ahuri*.

Un pétard?

DELAVILLE

S'ils t'emmerdent tire en l'air; ils foutront le camp comme des lapins.

CAPRON

Avec moi, ils trouveront à qui causer, tes chômeurs volontaires! car je suis un travailleur qu'a toujours lutté contre le chômage. C'est même pour ça que je m'étais syndiqué.

DELAVILLE

Mais t'es toujours syndiqué.

CAPRON

Non! Durand me l'a dit : « Toi, faut qu'on te supprime! »

DELAVILLE

Calme-toi. Et tu pourras leur dire à tous que j'embauche, qu'on mange à bord, qu'on couche, et qu'il y a triple paye doublée.

CAPRON

Que je leur parle, moi? A coups de pétard qu'on causera, s'ils veulent causer.

Delaville remonte à bord. Capron s'avance dans le noir. Le bistrot verdâtre s'éclaire au loin.

PREMIER GRÉVISTE

Vingt-deux! Voilà quelqu'un.

DEUXIÈME GRÉVISTE

On reviendra. Il ferme pas la nuit, ce bistrot-là!

QUATRIÈME GRÉVISTE

Et pour du chouette rhum, c'est du chouette!

PREMIER GRÉVISTE, *qui reconnaît Capron.*

D'où que tu sors, toi?

CAPRON

D'où que je sors?

DEUXIÈME GRÉVISTE, *sur un certain ton.*

Tu te promènes?

CAPRON

Tout juste, mon gars, je me promène.

TROISIÈME GRÉVISTE

Eh ben! si tu le disais pas, on le croirait pas.

QUATRIÈME GRÉVISTE

On m'aurait demandé de tes nouvelles, que j'aurais dit : « Capron, mais il travaille! »

CAPRON

Et tu te serais gouré, car tu vois : je prends l'air!

PREMIER GRÉVISTE

Tu prends l'air!

Un silence.

CAPRON

Eh ben, quoi, qu'est-ce qu'il y a?

PREMIER GRÉVISTE

Qu'est-ce que tu veux qu'il y ait! Puisque tu te promènes...

DEUXIÈME GRÉVISTE

...et que nous aussi, on se promène...

TROISIÈME GRÉVISTE

Nous voilà tous des promeneurs.

Un silence.

CAPRON

Si on allait boire un coup?

PREMIER GRÉVISTE

On te dit qu'on n'a pas soif!

CAPRON

Parce que si vous aviez soif, j'ai des sous.

DEUXIÈME GRÉVISTE

T'as des sous?

QUATRIÈME GRÉVISTE

Et où tu les as eus, tes sous?

CAPRON

Comme si vous le saviez point! Dans cette saloperie de poussière noire, qui vous colle dedans comme elle vous colle dessus.

TROISIÈME GRÉVISTE

Heureusement qu'elle colle dessus, cette saloperie de poussière, et qu'elle est noire, sans ça, tu
serais t'y point habillé tout en jaune?

Rires sans gaieté.

PREMIER GRÉVISTE

Ben oui, quoi, tout en jaune!

CAPRON

En jaune! J'en ai tout de même fait un bout de
votre grève... les premiers jours...

DEUXIÈME GRÉVISTE

Pourquoi tu te défends? On te dit rien!

CAPRON

Fallait bien que je bouffe!

QUATRIÈME GRÉVISTE

Et nous?

DEUXIÈME GRÉVISTE

T'as pas compris! voilà tout.

CAPRON

Alors, allons boire un coup, et vous allez
m'expliquer...

PREMIER GRÉVISTE

On te dit qu'on n'a pas soif.

CAPRON

Puisque c'est moi qui ai les sous!

TROISIÈME GRÉVISTE

D'abord j'ai rien à te dire...

CAPRON

Ça n'empêche pas de boire un coup!

QUATRIÈME GRÉVISTE, *s'énervant*.

Mais saperlipopette! On te serine depuis une heure qu'on n'a plus soif!

CAPRON

Alors, le bistrot vous aurait fait crédit?!

TROISIÈME GRÉVISTE

Et tu voudrais des détails? Alors, t'es pas seulement jaune, t'es aussi mouchard?

CAPRON

Mouchard? Est-ce que je te traite de feignant, moi?

PREMIER GRÉVISTE

Tu nous traites de feignants?

CAPRON

Et de mendigots!

QUATRIÈME GRÉVISTE

Ben alors, tu l'as cherchée ta piquette!

DEUXIÈME GRÉVISTE

Oui, tu l'as cherchée!

TROISIÈME GRÉVISTE

Puisque t'as soif, c'est dans le bassin qu'on va t'envoyer boire!

CAPRON

Vous voulez me foutre à l'eau? Moi. Un damné de la terre, me foutre à l'eau...

DEUXIÈME GRÉVISTE

Avec tes copains les chats crevés et les rats d'égout!

CAPRON, *effrayé.*

Vous me faites pas peur. Je suis pas tout seul. J'ai un pétard, avec moi!

TROISIÈME GRÉVISTE, *ahuri.*

T'as un pétard?

CAPRON

Pour dire bonjour à ceux qui me regardent de travers, et qui refusent de trinquer avec moi.

Il sort son revolver. Un silence.

PREMIER GRÉVISTE

Le fumier! l'ordure!

DEUXIÈME GRÉVISTE

Un pétard!

QUATRIÈME GRÉVISTE

Ben, tu l'auras ta piquette!

Ils se jettent sur Capron, qui tire.

TROISIÈME GRÉVISTE

Il a tiré, le salaud!

Capron tombe.

PREMIER GRÉVISTE

A coups de talon, sur le museau, casses-y donc
la gueule!

DEUXIÈME GRÉVISTE

Ah! crève-la-faim!

PREMIER GRÉVISTE

Casses-y donc la gueule!

TROISIÈME GRÉVISTE

Mendigots, qu'il a dit.

QUATRIÈME GRÉVISTE

Casses-y donc la gueule!

PREMIER GRÉVISTE

Fais-le mendier à son tour! *(Ils lui prennent la
tête et la choquent contre le pavé. Entre chaque
coup qui résonne, Capron hurle.)* Pour les charbonniers en grève.

Choc, cri.

QUATRIÈME GRÉVISTE

Tais-toi, salaud!

DEUXIÈME GRÉVISTE

Pour nos femmes qu'ont faim.

Choc, cri.

QUATRIÈME GRÉVISTE

Tais-toi, salaud!

Choc, cri.

TROISIÈME GRÉVISTE

Pour nos enfants.

Choc, cri.

QUATRIÈME GRÉVISTE

Tais-toi, salaud!

PREMIER GRÉVISTE

Pour nos camarades en grève.

Choc, silence.

QUATRIÈME GRÉVISTE

T'as compris, à cette heure?

Deux agents de police sont là.

PREMIER AGENT

Qu'est-ce que vous fabriquez?

DEUXIÈME GRÉVISTE, *surpris.*

Nous?

DEUXIÈME AGENT

Oui, vous!

QUATRIÈME GRÉVISTE

On essaye d'expliquer à un copain qu'a la comprenette difficile...

PREMIER AGENT

Mais il est mort, cet homme-là!

Il siffle.

QUATRIÈME GRÉVISTE

Mais non, il n'est pas mort; il fait semblant de ne pas écouter parce qu'il veut pas comprendre.

Nouveaux coups de sifflet.

DEUXIÈME AGENT

Le premier qui bouge, je tire!

QUATRIÈME GRÉVISTE

Je serai-t'y soûl, que je vois double, ça fait deux pétards!

LE PATRON *sort de son bistrot.*

Alors, encore une rixe? *(S'approchant, aux agents.)* Ils n'ont plus de sous et ils se soûlent quand même! Faudrait tout de même qu'on sache comment!

QUATRIÈME GRÉVISTE, *à un Agent.*

On lui expliquait que c'était pour nos femmes et nos gosses.

Arrivent le Chef de la Sûreté et un Troisième Agent.

LE CHEF DE LA SÛRETÉ

Qu'est-ce que c'est?

PREMIER AGENT

Chef, l'homme est mort!

QUATRIÈME GRÉVISTE

Peut pas être mort, puisqu'on était en train de causer!

LE CHEF, *aux grévistes.*

Les bras en l'air.

QUATRIÈME GRÉVISTE

Demain, les bras en l'air! Parce que ce soir, moi, je vais roupiller...

Il se couche.

PREMIER AGENT, *le remuant à coups de pied.*

Debout! ou tu vas te faire secouer les puces!

LE CHEF

Demandez le panier à salade! Les quatre soûlots au poste. *(Sifflets.)* Et l'autre à la Morgue!

PREMIER GRÉVISTE

Pourquoi vous l'envoyez à la Morgue? Il serait fatigué de travailler?

DEUXIÈME ET TROISIÈME AGENT,
remuant le Quatrième Gréviste.

Tu vas te lever, non?

QUATRIÈME GRÉVISTE, *qu'on redresse.*

Quel bordel! *(Et il chantonne.)* C'est la lutte finale, et demain...

PREMIER AGENT

V'là qu'il chante, maintenant!

DEUXIÈME GRÉVISTE, *à l'Agent.*

Je pourrais pas aller chercher mon siphon qu'est resté sur la barrique?

DEUXIÈME AGENT

Bouge pas de là, ou je tire!

DELAVILLE, *arrivant.*

Il y a de la casse?

LE CHEF

Une bagarre qu'a mal tourné! Et tous les quatre, ils puent le rhum à vingt mètres.

On entend un sifflet.

PREMIER AGENT

Allez, en route! la voiture est là!

PREMIER GRÉVISTE

Putain de vie!

DEUXIÈME GRÉVISTE

Oui, putain de vie!

QUATRIÈME GRÉVISTE

Si encore ils nous laissaient roupiller.

Les trois premiers grévistes, les bras en l'air, le Quatrième soutenu par le Premier Agent, sortent avec le Deuxième Agent.

DELAVILLE

Mais je le reconnais! C'est un de mes ouvriers.

LE CHEF

Vous le reconnaissez à quoi? Il n'a plus figure humaine.

DELAVILLE, *qui parle trop vite.*

Voilà son revolver!

LE CHEF

Vous saviez qu'il avait un revolver?

DELAVILLE

Il me l'avait dit et je voulais pas qu'il quitte le bord...

LE CHEF

Vous passerez chez moi, demain, pour le témoignage. *(Au Patron du bistrot.)* Vous aussi!

LE PATRON

Moi? J'ai rien vu.

DELAVILLE

Un bon ouvrier, travailleur, sérieux, une femme, trois enfants...

TROISIÈME AGENT, *au Chef.*

Pas la peine d'attendre la voiture. Je peux le tirer par les pattes, la Morgue est à vingt mètres...

LE CHEF

Allez, et vous ramènerez les papiers s'il en a! *(Le Troisième Agent tire Capron sur le pavé et sort.)* Alors, je vous attends demain. Bonsoir.

Il sort d'un autre côté.

LE PATRON

Avec cette grève qui traîne, ça devait arriver. Si vous leur donniez moins à boire aussi, à domicile...

DELAVILLE

Quoi?

LE PATRON

Oui, avec cette putain de grève, mon bistrot est
vide! Ceux qui travaillent boivent à l'œil, chez
vous, et ceux qui travaillent pas boivent à l'œil,
sous mon nez. *(Il montre la barrique.)* La police le
sait et elle ne bouge pas. Tout de même, il faut que
tout le monde vive! Mettez-vous à ma place : moi,
je l'ai acheté mon commerce! *(Une longue sirène
de bateau.)* Et les cargos partent quand même!
C'est bien la peine de faire une grève : tout juste
de quoi emmerder le pauvre monde!

DELAVILLE

Oui... oui... et cette histoire-là, ça va faire un
de ces boucans demain! Je vais téléphoner. Bonsoir.

LE PATRON

Bonsoir. *(Il est près des barriques.)* Et voilà leur
siphon. Salauds. *(Il appelle.)* Marguerite! apporte-
moi un broc! Un grand! Dépêche-toi. Et fais pas
de bruit!

Une sirène.

RIDEAU

Deuxième partie

SCÈNE VIII

*Sur une estrade surélevée, décorée de drapeaux rouges,
Jules Durand parle. A ses côtés, les deux frères Boyer.*

JULES

Camarades syndiqués, la nuit dernière, à la porte
d'un café, des ivrognes se sont battus. Un ouvrier
a été assommé *(murmures)*, oui, un ouvrier! C'était
un jaune, je le sais. Un renard, je le sais. Un camarade égaré, c'est vrai! Mais quand même un compa-
gnon de notre misère. Il avait voté la grève et il
travaillait, je le sais. C'était un lâche. L'eût-il été
sans l'alcool, la misère et la fourberie patronale?
En tout cas, de sa lâcheté, il ne devait compte qu'à
lui-même. Enfin, n'avions-nous pas promis de respecter la liberté du travail? Que voulions-nous?
Convaincre? ou frapper? Aussi je déclare qu'il est
aujourd'hui impossible de poursuivre un mouvement de libération humaine en traînant le cadavre
d'un de nos frères derrière nous. La grève est donc
terminée. De toutes nos justes revendications,
aucune ne sera satisfaite. Nous serons aussi malheureux qu'avant, avec, en plus, les dettes à payer.
Le travail reprendra demain à l'aube.

Mais, dans l'étouffement et le charbon, je vous en conjure, gardez le souvenir de notre union; car les temps sont proches! les temps sont proches où les ouvriers du monde entier, ensemble, à la même heure, se croiseront les bras. Et devant cette immobilité terrible, le patronat impuissant se décomposera. Camarades! C'est en pensant à cette lutte finale que demain, la tête haute, nous retournerons dans la poussière. Sans désespoir, car un homme qui combat pour la liberté n'a pas le droit de désespérer. Tous ensemble, sans larmes dans les yeux, mais en serrant les poings, chantons avant de nous séparer, l'hymne qui nous conduira un jour à la victoire!

Les deux frères Boyer se lèvent. Les grévistes chantent L'Internationale.

La lumière s'éteint, s'éclaire sous l'estrade...

SCÈNE IX

... Le cabinet du Juge d'Instruction. Le Juge et le Chef de la Sûreté.

LE CHEF DE LA SÛRETÉ

Mes quatre loustics, qui n'avaient pas mangé depuis deux jours, venaient de siffler une barrique de rhum. Au poste, ils balbutiaient des paroles incohérentes, et dans mon bureau, j'ai dû en faire secouer un qui s'était endormi pendant que je l'interrogeais...

LE JUGE D'INSTRUCTION

Tous les quatre repris de justice?

LE CHEF

Trois, dont deux relégables. Quant au mort, lui aussi repris de justice, il venait de travailler deux jours et deux nuits, abruti d'alcool, lui aussi. A-t-il eu peur? C'est probable. Malheureusement, il était armé. Devant le revolver, les autres, au lieu de s'enfuir, ont cogné...

LE JUGE

Coups ayant entraîné la mort?

LE CHEF

Et, si j'ose dire, sans intention de la donner. La rixe d'ivrognes classique! Néanmoins, ce matin, un nommé Sivan est venu me raconter qu'au Syndicat des Ouvriers charbonniers, voici trois semaines, on aurait voté, sur la proposition de Durand, la mort de Capron, à main levée, en public, Salle Franklin. Rien que ça. Et qu'une équipe de costauds, nos quatre soûlots, avait été chargée de l'exécution. Je l'ai foutu à la porte. Il n'a pas insisté. Ce Sivan est un indicateur de la Compagnie, bête comme un âne, et qui a voulu faire du zèle!

> *Un Gendarme entre et remet un pli au Juge d'Instruction.*

LE JUGE, *au Gendarme.*

Priez ces messieurs d'entrer. *(Au chef.)* MM. Buggenhart et Roussel demandent à être reçus!

LE CHEF

Eh bien! monsieur le Juge d'Instruction, je me retire.

LE JUGE

Que veulent-ils? La disparition brutale de M. de Siemens à Londres, il y a plus d'un mois, ne nous regarde pourtant pas... Heureusement! Vous vous rendez compte : demander ou ne pas demander l'autopsie!

> *Très cérémonieux, chapeau haut de forme et chapeau melon, les deux hommes entrent et saluent le Chef de la Sûreté qui allait sortir.*

M. BUGGENHART, *s'inclinant.*

Monsieur le Juge d'Instruction.

LE JUGE, *présentant.*

Monsieur le Chef de la Sûreté.

ROUSSEL

Voilà qui tombe à pic. Vous allez pouvoir, monsieur le Chef de la Sûreté, confirmer à M. le Juge d'Instruction les renseignements que nous lui apportons.

OLIVIER

Un ouvrier, d'une des entreprises que je préside, avant-hier sur les quais, a été assassiné!

LE JUGE

Un nommé Capron, mort de coups et blessures...

ROUSSEL

Dans un guet-apens prémédité.

Silence.

LE JUGE

Prémédité? *(Après un regard échangé avec le Chef de la Sûreté.)* Je vous écoute, messieurs.

OLIVIER

J'accompagne notre secrétaire général qui, après une enquête immédiate, a découvert les causes inquiétantes de cette lamentable histoire...

ROUSSEL

Qui n'est pas la bagarre crapuleuse habituelle.

Mais un assassinat, concerté, organisé, exécuté par ordre. La mort du malheureux Capron avait été décidée et votée, il y a trois semaines, Salle Franklin, au cours d'une réunion du Syndicat des charbonniers en grève.

LE CHEF DE LA SÛRETÉ, *éclatant*.

C'est une plaisanterie!

OLIVIER

Il n'est pas dans mes habitudes, monsieur le Chef de la Sûreté, de me déranger et de déranger les autres pour plaisanter.

ROUSSEL

Certains grévistes auraient tout d'abord proposé une correction soignée pour Capron. Durand a répondu devant sept cents témoins : « Une correction n'a aucun sens : il faut le supprimer, lui et tout ceux qui travaillent. »

LE CHEF

J'ai assisté, moi-même, à toutes les réunions au Syndicat, ceint de mon écharpe...

OLIVIER

Et aucun de vos rapports ne fait mention de cet appel au meurtre?

ROUSSEL

Tous nos renseignements concordent et trente témoins attendent en ce moment dans l'antichambre de M. le Juge. Le Syndicat avait même

désigné, pour accomplir le travail en question, des
équipes de costauds.

LE CHEF

Mais non; ces équipes étaient constituées, avec
l'accord de M. le Maire, en échange précisément
du respect de la liberté du travail, pour quêter en
ville.

OLIVIER

Monsieur le Chef de la Sûreté, encore une fois,
soyons sérieux. Avaient-ils besoin de « costauds »
pour quêter?

ROUSSEL

... Pour crier famine? C'est peu vraisemblable. De
petits enfants pâles auraient mieux touché le cœur,
parfois trop sensible, de nos citoyens.

LE JUGE, *au chef de la Sûreté.*

Néanmoins, ces équipes de costauds n'ont-elles
pas tenté — sporadiquement — de perturber les
lieux où le travail continuait?

LE CHEF

M. Roussel sait aussi bien que moi que les grévistes ont respecté la liberté du travail. D'ailleurs,
j'avais reçu du Gouvernement des ordres formels
que M. le Sous-Préfet...

OLIVIER

Laissez-moi douter de la sincérité des ordres
d'un Gouvernement présidé par M. Aristide
Briand qui fut, à ses débuts dans la vie, le propa-

gandiste de la grève générale et de l'insurrection ouvrière.

LE CHEF

Alors, la rencontre, la dispute et la bagarre — qui aurait pu ne pas être mortelle — auraient été préméditées par ces quatre ivrognes?

ROUSSEL

Le fait que Capron était porteur d'une arme ne prouve-t-il pas qu'il se sentait menacé et, par conséquent, qu'il *y a eu préméditation?*

OLIVIER

Je n'ai pas entendu les témoins qui ont renseigné notre secrétaire général, mais dès maintenant j'affirme qu'une bienveillance, une négligence serait inexplicable à l'égard de ce Durand, secrétaire d'un Syndicat qui a pour objectif la ruine du port.

LE CHEF

Alors, vos témoins vont essayer de nous faire croire que ce Durand, que je connais, car je connais bien Durand...

ROUSSEL

Moi aussi!

LE CHEF

...aurait été assez naïf pour faire voter par sept cents votants à main levée, dans un lieu public, en présence du Chef de la Sûreté, la mort d'un homme?

ROUSSEL

Nos témoins ne disent pas que vous étiez présent à l'heure du vote. Ne vous êtes-vous pas quelquefois absenté...

LE CHEF

A l'intérieur du Syndicat, j'ai cinq informateurs qui ne se connaissent pas entre eux, et pas un ne m'aurait prévenu? Durand est un homme calme, un buveur d'eau, un autodidacte sentimental...

ROUSSEL

Dont le maître spirituel n'est-il pas Ravachol?

LE CHEF

Jamais vous ne me ferez croire que Durand ait pu dire, même ait pu penser : « Il faut supprimer Capron. »

ROUSSEL

L'enquête révélera bien des choses que semble ignorer M. le Chef de la Sûreté. On dit, et l'on répète dans les milieux proches de Durand et de Capron, que si Capron a été choisi parmi d'autres pour être exécuté afin de terroriser les travailleurs fidèles à notre Compagnie, c'est que la mort de Capron, en plus, arrangeait la vie privée du sieur Durand. Lorsque j'ai tenu à transmettre moi-même les condoléances de notre Compagnie à la veuve de la malheureuse victime, j'apportais un secours d'urgence : mille francs accordés par notre Président et cinq cents francs offerts par les négociants de la place. Eh bien! la veuve Capron, qui m'a reçu debout — et il y avait deux chaises dans son taudis — a refusé cet argent que j'apportais. J'avoue que j'en ai eu le souffle coupé et pourtant je n'étais pas au bout de mes surprises : cette étrange veuve refusait même de porter plainte contre les assassins de son mari!

Vous n'ignorez pas, monsieur le Chef de la Sûreté, que Capron et Durand étaient voisins. Durand, en instance de divorce, vivant séparé de sa femme, chômeur volontaire, voyait du matin au soir la future veuve Capron, tandis que notre fidèle ouvrier travaillait, lui, du matin au soir et quelquefois du soir au matin, pour nourrir ses enfants. Si bien qu'on n'aurait pas supprimé seulement un jaune des quais, mais aussi un autre genre de jaune, c'est-à-dire un mari gênant. Tout ceci, monsieur le Juge, ne sont qu'hypothèses et bruits flottants. Votre enquête nous apprendra certainement la vérité.

LE CHEF

Monsieur le Juge, vous n'avez plus besoin de moi?

LE JUGE

Pas pour le moment.

LE CHEF, *saluant.*

Messieurs.

LES DEUX AUTRES, *se levant.*

Monsieur le Chef de la Sûreté.

Sortie du Chef de la Sûreté.

OLIVIER

Je suis désolé pour M. le Chef de la Sûreté qu'il ait omis de signaler en son temps cet appel au meurtre. C'est une grave faute professionnelle; qu'il s'en arrange avec M. le Procureur de la République que je dois rencontrer demain. Mais pour masquer les erreurs de M. le Chef de la Sûreté, je ne laisserai pas se diluer en une vulgaire rixe d'ivrognes un crime social.

ROUSSEL

Un de nos chefs de manutention, Delaville, est ici, avec nos autres témoins qui attendent...

OLIVIER

Monsieur le Juge d'instruction, je regretterais de vous voir prendre la si lourde responsabilité d'une affaire dont toute la presse française, alertée par nos soins, parlera dès demain, si je ne connaissais votre sens du devoir, votre patriotisme et votre dégoût pour toutes les campagnes de violences syndicales et anarchistes qui doivent être brisées...

ROUSSEL

...quand il en est temps encore! Et peut-être, hélas, tout juste temps!

LE JUGE

Puis-je vous demander comment Mme de Siemens supporte le deuil cruel qui l'a si soudainement frappée?

OLIVIER

Ma sœur a appris très jeune à se soumettre à la volonté divine. Elle veut découvrir dans sa douleur des raisons d'espérer. Dieu ne nous impose jamais d'épreuves inutiles.

Salutations et sortie.

LE JUGE, *arpente son bureau, puis.*

Eh bien! Merde! Merde! et merde! *(Puis il sonne. Entre un gendarme.)* Ordonnez au sieur Delaville d'entrer.

Il s'assied. Delaville entre suivi de plusieurs ouvriers endimanchés qui restent dans l'ombre.

LE JUGE, *assis.*

Delaville?

DELAVILLE, *debout.*

Chef de manutention. Voici les noms des trente et un ouvriers, tous formels : l'assassinat concerté a été voté à main levée. Voici la lettre qu'ils vous adressent spontanément dans laquelle ils reconnaissent les faits qui accusent Durand, Jules, sans oublier les deux frères Boyer, eux aussi à la tête du Syndicat.

Fouquet, avance, et dis ce que tu sais...

FOUQUET, *sortant de l'ombre.*

Fouquet, contremaître.

J'avais prévenu Capron de sa mise à mort. Alors, je lui ai fait prêter mon revolver pour qu'il se défende...

DELAVILLE

Argentin, avance. Qu'est-ce que tu sais?

ARGENTIN, *sortant de l'ombre.*

Argentin, ouvrier charbonnier. La future veuve Capron a dit devant moi à la future victime : « Je te casserai la goule, et si tu te défends, je te foutrai à l'eau. » Elle avait un enfant dans les bras.

DELAVILLE

Lévêque, avance, et dis ce que tu sais.

LÉVÊQUE, *sortant de l'ombre.*

Lévêque, ouvrier charbonnier.
J'assistais à la réunion, il y a trois semaines. Durand a dit, parlant de la future et malheureuse victime, devant sept cent douze ouvriers tous présents : « Capron, je veux pas qu'on l'esquinte : faut le supprimer! »

DELAVILLE

Morin, avance... qu'est-ce que tu sais?

MORIN, *sortant de l'ombre.*

« Faut le supprimer, l'assommer, lui faire sauter le pas! »

UN AUTRE OUVRIER, *sortant de l'ombre.*

Il a même ajouté : « Si mon père travaillait, j'en dirais autant de mon père : faudrait le supprimer. » Il parlait de son père...

LE JUGE

Et les sept cent douze ouvriers ont voté la mort?

MORIN

Tous!

L'AUTRE OUVRIER

Sauf un. Un gars de chez nous, qu'est complètement sourd, et qu'entendait pas ce qu'on disait.

La lumière enchaîne sur...

SCÈNE X

De jour. La cour des Durand.
Un petit garçon écoute un marin chanter. Nous entendons les dernières mesures.

LE MARIN

... Oui, dans les pays du rhum et de l'ananas!

LE PETIT GARÇON

... Tu as été dans tous les pays de la terre?

LE MARIN

Presque.

LE PETIT GARÇON

Même dans les pays de l'autre côté qui en ce moment sont dans la nuit? Parce que je possède aussi une mappemonde, petite, mais qui tourne...

Un bruit.

LE MARIN

Écoute-les! Sont de la même race et peuvent pas s'entendre.

LE PETIT GARÇON

Qui ça?

LE MARIN

Mon singe et mon perroquet.

LE PETIT GARÇON

Un singe et un perroquet de la même race?

LE MARIN

Et qu'est aussi la nôtre! Ils respirent comme nous. Ils sont obligés de manger comme nous. Tous les deux, ils sont nés un beau jour, comme nous et, comme nous, un autre jour, ils devront mourir. C'est un Noir de là-bas qui me l'a dit : « Ils sont de la race de ceux qui doivent mourir. »

LE PETIT GARÇON

Et après?

LE MARIN

Faut pas avoir peur. Si tu savais quand le jour se lève et que tu es seul sur la mer calme, avec le soleil qui monte tout seul lui aussi dans le ciel, comme toi tout seul sur le pont du bateau, avec l'horizon en rond tout autour, eh bien, sans rien comprendre à rien, tu te sens heureux, et tu chantes. Écoute...

Le Marin commence à chanter et tout de suite s'ouvre la cuisine des Durand. Julia met la table, Mme Capron, en deuil, est là.

MADAME CAPRON

Que deviendraient mes trois petites filles si à mon tour je disparaissais? Mon mari s'en serait-il occupé? Je ne crois pas, mais on sait jamais, il aurait tout de même été là. Vous n'avez pas

connu la misère de l'Assistance publique : c'est
elle qui m'a élevée. Toute petite, j'ai eu une
bonne nourrice. Elle vit encore. Mais dès que j'ai
été placée dans les fermes! Moins bien traitée que
les bestiaux : pour nous remplacer, ça coûtait rien!
Une fois, j'ai osé me plaindre à l'Inspecteur. J'avais
quatorze ans. « Et en plus, t'es pas contente! Sans
nous, tu serais morte de faim, et tu te plains! »

JULIA

Tant que je serai là, vos enfants n'iront jamais
à l'Assistance publique.

MADAME CAPRON

Auriez-vous le droit de vous opposer? Ils votent
toujours des lois qui vont à l'envers de ce qu'ils
prétendent vouloir.

JULIA

Jules est d'avis de demander au Syndicat d'adop-
ter vos trois petites filles, si vous êtes d'accord,
et de se faire nommer tuteur.

MADAME CAPRON

Prendre l'argent du Syndicat? Non, il est trop
pauvre. Et tant que je pourrai travailler...

JULIA

Avec trois gosses à la maison?

MADAME CAPRON

Mes pauvres gosses qu'on montrera du doigt à
l'école, parce que leur père est mort en renard!
Dès que j'aurai trouvé du travail, je me syndi-

querai, et si le Syndicat n'existe pas, je le fonderai.
M. Durand m'aidera.

JULIA

Quand il aura repris courage... Mais quand?

MADAME CAPRON

Il a eu tort d'arrêter la grève. Était-ce sa faute
si mon mari travaillait?

JULIA

Il le croit. Il se reproche de n'avoir pas su le
convaincre. Il passe son temps à s'accuser pour
excuser les autres.

MADAME CAPRON

A qui la faute si mon mari a menacé ses camarades avec un revolver? Qui lui avait donné ce
revolver? Puisqu'on n'en avait pas chez nous! Ils
sont venus, de la Compagnie, avec des papiers à
me faire signer et de l'argent pour payer ma signature. Ce qu'ils voulaient? que je porte plainte. Et
j'ai répondu que je voulais bien porter plainte,
mais contre la Compagnie que je tiens pour responsable de la mort de mon mari.

JULIA

Jules le sait?

MADAME CAPRON

Moi, je ne lui ai pas encore dit. Où est-il?

JULIA

Salle Franklin. Il vient déjeuner, manger
quelques pommes de terre...

Entre Jules. Embrassade silencieuse. Salut muet de Mme Capron.

JULES

Où est papa?

JULIA

Il cherche du travail.

Haussement d'épaules de Jules.

JULES

Et maman?

JULIA

Elle est partie en ville, avec son chapeau.

JULES

Avec son chapeau? *(Un silence.)* Ça me fait de la peine de vous voir, madame Capron. La Société nouvelle dont je rêve ne peut-elle surgir qu'avec des éclaboussures de sang? Comment espérer en l'avenir d'une société qui ne pourrait naître que dans le meurtre et l'assassinat? Votre mari avait le droit de travailler. Il se trompait, mais c'était aussi son droit. Et nous devions respecter ce droit. L'homme ne sortira jamais de son malheur en cherchant le malheur des autres.

JULIA

Quand as-tu cherché le malheur des autres? Tu es le seul à t'accuser! Tous les camarades t'approuvent. Le jour où tu as demandé la reprise du travail, ils étaient encore quatre cents autour de toi. Et ils reprendront la lutte, quand tu le décideras. Constitue une caisse de secours, organise une entente, à l'avance, avec les syndicats des autres ports, et cet hiver, avec l'aide de Paris...

JULES

Paris n'a rien compris.

JULIA

Mais, Jules, les femmes le savent : pour tenir une maison propre, on fait d'abord du sale. Et quand on lave la vaisselle, la bassine ne donne pas envie de manger.

JULES

Et tu crois que les assiettes ne seraient pas encore plus propres si votre eau de vaisselle était plus claire? Ils vous racontent à Paris : la fin justifie les moyens! Qu'est-ce que ça veut dire? D'abord si on n'attrape pas la fin, on reste à s'expliquer, dans la honte, avec les moyens sur le dos; mais il y a plus grave : j'ai bien peur que la fin ne soit faite que des moyens, façonnée par les moyens, et qu'elle finisse par ressembler aux moyens avec lesquels on essaie de l'atteindre. Un mensonge reste un mensonge, même dans une perspective générale de vérité. Et si pour atteindre cette vérité, on accumule trop de mensonges, au bout du chemin, c'est sur un immense mensonge qu'on butera! Oui, cette fin que d'ailleurs personne ne touchera probablement jamais, finira par ressembler à tous les moyens, utilisés au jour le jour pour l'atteindre. Dans le fond, il n'y a peut-être pas de fin, il n'y a peut-être que des moyens! alors, qu'ils soient propres!

JULIA

Oui, Jules. C'est au jour le jour qu'il faut lutter,
comme tu luttes. Combien de fois m'as-tu dit
que c'est une lâcheté d'attendre les bras croisés,
l'avenir, et de s'en remettre à demain et au progrès!
On parle de la marche de l'humanité, mais ce sont
les hommes qui marchent. Quoi, tu voudrais t'en-
dormir maintenant, avec l'espoir de te réveiller
dans la justice de l'avenir, qui serait venue dans
le ciel, comme le soleil, pendant que tu dors?

JULES

Je sais bien que tu as raison Julia. Et que notre
avenir, c'est dans la journée d'aujourd'hui qu'il
faut le vivre. Mais je suis affreusement triste,
madame Capron.

JULIA, *tout à coup sur un autre ton.*

Ce que je viens de dire là, Jules, n'empêche pas
que je serais d'avis que tu prennes du repos.

JULES

Du repos? Je ne suis pas malade! Et même si
j'étais malade...

JULIA

Ta mère va t'en parler...

JULES

Qu'est-ce que c'est que cette histoire?

JULIA

Et ça pourrait même s'arranger avec les enfants
de Mme Capron...

JULES, *à Mme Capron.*

Avec vos enfants? De quelle manière?

MADAME CAPRON

Je ne suis pas au courant.

JULIA

Ta mère t'expliquera...

> *Entre le Père, en casquette.*

LE PÈRE

Salut.

> *Embrassades.*

JULIA

Alors, papa?

LE PÈRE

Tous ces hommes qui m'en imposaient parce qu'étant riches ils me parlaient tout de même poliment, eh bien, c'étaient des cochons! Vous entendez? Tous des cochons!

JULIA

Calmez-vous, papa.

LE PÈRE, *à Jules.*

Où est ta mère?

JULIA

Elle est sortie peu de temps après vous.

LE PÈRE

Parce que je suis ton père, je n'ai plus le droit de travailler!

MADAME CAPRON

Et vous lâcheriez le combat, monsieur Durand?

LE PÈRE, *à Jules.*

Je te donne raison, c'est entendu, mais quand ils me refusent le travail, est-ce qu'ils savent si je te donne raison? Et si je croyais que tu te trompes, et si à cause de la politique, on se parlait plus, toi et moi, parce que je suis ton père, on me refuserait le droit de travailler? Partout où je vais, quand je dis mon nom, on me demande : « Le père de l'anarchiste? » Ce sont des cochons! Et c'est ça qu'est grave, que ce soient des cochons!

JULIA

Eh bien, papa, vous vous reposerez...

LE PÈRE

Toi, c'est maman qui t'a soufflé cette idée-là?

JULIA

Je peux encore m'employer trois ou quatre mois... Eux, ils ne me connaissent pas... vous irez à la pêche aux moules, aux étrilles. A l'automne, vous brasserez la boisson. Vous donnerez des coups de main aux amis, et le temps passant... Reposez-vous jusqu'à notre mariage...

JULES

Avec mon divorce qui traîne!

MADAME CAPRON, *à Julia.*

Vous ne serez pas les premiers à chanter au baptême avant de chanter à la noce!

Entre la mère, habillée, affairée.

LE PÈRE, *gentil.*

D'où viens-tu, toi?

LA MÈRE, *décidée.*

De faire ce qu'il faut!

JULES

De faire quoi?

LA MÈRE

On ne peut pas continuer de vivre à cette mode-là! J'arrive de la Caisse d'Épargne où j'ai retiré notre livret. *(Elle sort de l'argent de son sac et le livret bleu.)* Voilà neuf cents francs! Oui. J'en parlais pas, mais ça fait trente ans que j'économise, pour le jour où le vrai malheur viendrait. Eh bien, le temps est venu de toucher à nos économies. Et nous voilà avec six mois tranquilles devant nous, tous les quatre. *(Au Père.)* Toi, depuis que t'es au monde, t'as jamais eu de repos sauf pendant ta petite maladie et que Jules nous a aidés. Maintenant, avec nos économies tu vas t'aider toi-même, et à ton tour aider Jules. On va partir tous les quatre à la campagne, jusqu'au printemps. Le cousin Paul, à Gommerville, il y a de la place chez lui dans sa ferme...

JULIA

Et si tu disais oui, Jules, je pourrais prendre les enfants de Mme Capron, qui viendrait les voir le dimanche.

LA MÈRE *écoute, regarde, ne répond pas*
et enchaîne.

Je lui trairais sa vache, au cousin Paul, on lui
paierait la pension, et vous les hommes, lui tail-
leriez ses haies; même l'hiver, il y a toujours un
peu de jardinage à faire... le temps que les autres
nous oublient!

JULES

Je ne suis pas contre. Allez-y tous les deux pour
commencer. Julia même peut vous accompagner.
Et j'irai vous voir le dimanche... à bicyclette j'en
aurai pour une heure...

LA MÈRE

A bicyclette!!! Et te laisser seul ici! Non! Non!
Tous les quatre, ensemble, et demain! voici l'argent! Jules, le temps de laisser naître ton petit
enfant!

JULIA

Six mois, c'est peut-être beaucoup, commençons
par quinze jours, si tu te faisais remplacer, au
Syndicat pour quinze jours seulement, par les
frères Boyer. Ils sont sérieux...

MADAME CAPRON

Vous devriez accepter, monsieur Durand.

JULES

Aller respirer pendant que les copains étouffe-
raient dans la poussière? Je n'ai plus que ce
repos-là : étouffer avec eux!

Entrent deux policiers chapeau melon sur la tête.

PREMIER POLICIER

Durand, Jules?

LE PÈRE

Qui êtes-vous pour entrer sans frapper?

DEUXIÈME POLICIER

...ouvrier charbonnier, se disant secrétaire d'un Syndicat domicilié Salle Franklin...

JULES

C'est moi!

PREMIER POLICIER

On te connaît!

JULES

Et vous me tutoyez?

DEUXIÈME POLICIER

On va te dire vous. Montrez vos mains, monsieur.

JULES

Mes mains? *(Il les regarde, on lui passe les menottes.)* Quelle est cette plaisanterie?

JULIA, *qui a compris.*

Mais qui êtes-vous?

PREMIER POLICIER

Police!

DEUXIÈME POLICIER

Mandat d'arrêt.

LA MÈRE

La police chez nous?

JULES

Cette arrestation est illégale. Au nom de la loi
de 1882, je proteste...

PREMIER POLICIER

Et des assassinats, qu'est-ce que tu en dis?

JULIA

Quels assassinats?

LA MÈRE

Vous vous êtes trompés de maison.

LE PÈRE

Oui, c'est une erreur, messieurs.

JULES

Et je vous prie de m'ôter cet instrument qui
me gêne beaucoup.

DEUXIÈME POLICIER

Tu jaspineras dehors — allez, en route —, on
est pressé.

JULIA, *agressive.*

Mais quel assassinat?

PREMIER POLICIER

Dis donc, ce serait pas la concubine?

DEUXIÈME POLICIER

Alors, faudrait la boucler, la concubine, et pour

les détails complémentaires s'adresser au Palais
de Justice.

LA MÈRE

Ils vont t'emmener au Palais de Justice?

MADAME CAPRON

Vous entrez ici, sans explication, comme une
catastrophe, comme une inondation, comme un
incendie...

PREMIER POLICIER

L'assassinat de Capron? Jamais entendu parler?

MADAME CAPRON

L'assassinat de mon mari?

DEUXIÈME POLICIER

Votre mari?

MADAME CAPRON

Je suis Mme Veuve Capron.

PREMIER POLICIER

Et vous êtes là!

DEUXIÈME POLICIER

On le disait bien qu'ils fricotaient ensemble...

JULIA

Mais je vous défends bien...

PREMIER POLICIER

Qu'est-ce qu'elle nous défend, la putain?

JULES

Je vous somme de vous rétracter!

PREMIER POLICIER

Comment tu dis ça? Répète, j'ai mal entendu.
Répète, je te dis!

Il lui envoie un coup de pied.

LA MÈRE

Et vous osez battre mon fils devant moi?

LE PÈRE

Où l'emmenez-vous?

PREMIER POLICIER

A l'hôtel de la rue Lesueur.

DEUXIÈME POLICIER

Avec eau courante, chauffé l'hiver, car la République est trop bonne avec les crapules.

LA MÈRE

Notre garçon à la prison?! Papa!

LE PÈRE

Messieurs, vous n'allez tout de même pas promener mon fils dans les rues, menottes aux mains?

PREMIER POLICIER

Alors, dépêchez-vous de lui donner des gants.

LA MÈRE

Papa, va vite chercher une voiture. L'argent est
là. Mon Dieu, notre pauvre argent.

Elle s'écroule en larmes.

JULES, *à Julia.*

C'est une erreur. Fais prévenir Boyer.

PREMIER POLICIER

Tiens! justement Boyer! comme ça se trouve!

DEUXIÈME POLICIER

Et lequel des deux Boyer?

PREMIER POLICIER

Il pourra choisir rue Lesueur. Ils sont déjà là, tous les deux, qui n'attendent plus que toi!

Ils rient.

JULES

Maman, je te demande pardon. Papa, cette monstrueuse erreur... Julia...

LA MÈRE

Notre famille qu'avait toujours été bien élevée.

PREMIER POLICIER

Alors, pas de casquette? Non? Parce qu'on l'embarque. Les politesses sont terminées.

LA MÈRE

Papa, cours prendre une voiture, ça coûtera ce que ça coûtera. En attendant, messieurs, voulez-vous un coup de boisson?

PREMIER POLICIER

En calèche?

Les policiers rigolent.

JULES

N'oublie pas nos pigeons, Julia.

PREMIER POLICIER, *soupçonneux.*

Quels pigeons?

DEUXIÈME POLICIER

Il nous l'expliquera tout à l'heure, quand on l'interrogera en détail, avec minutie et posément... Et en route, gibier de potence!

JULES

Monsieur, vous n'avez pas honte de vous?

PREMIER POLICIER

Tu veux que je te ratatine, tout de suite, avant même de commencer?

LA MÈRE

C'est une honte! Mais le Bon Dieu vous regarde.

PREMIER POLICIER

C'est ce qu'il nous dira, quand on le verra.

DEUXIÈME POLICIER

Et en route!

Sortie brutale.

LE PÈRE, *suivant,*

Mais puisque... c'est une erreur.

LA MÈRE

Viens le défendre, Julia.

JULIA, *suivant, elle aussi.*

Je coucherai devant la porte de la prison, jusqu'à ce qu'on le libère.

MADAME CAPRON, *seule.*

T'en as fait du propre, renard! oui, t'en as fait du propre, soûlot!

Changement de lumière sur...

SCÈNE XI

*Olivier, haut-de-forme et canne à pommeau d'argent.
Roussel, melon et canne à manche recourbé, sur le boulevard.*

OLIVIER

Vous savez en quelle estime nous tenons votre caractère, votre maîtrise de vous-même, vos idées fort saines, et votre ambition... Néanmoins mon devoir est de vous décourager quand vous pensez à demander un jour la main de ma sœur. Mais si! Mais si! mon cher, vous y pensez. Vous n'y penserez plus! Mais vous y avez pensé! Eh bien, n'y pensez plus! Elle est veuve depuis trop peu de temps, et vous appartenez à l'Église réformée depuis trop peu de temps aussi... Ma sœur, d'ailleurs, est une femme de nature frivole, et dont la frivolité réapparaîtra quand le chagrin s'effacera avec le deuil. Elle aime trop les bals, le golf, la chasse à courre, les régates et les voyages en mer pour être l'honorable épouse d'un grand travailleur qui n'a pas de temps de vacances. Pour combler ses sentiments maternels, mes enfants lui suffiront. Elle est née pour être une tante gâteau, les jours d'anniversaire, et vivre près de moi au retour de ses jeux et de ses divertissements. Elle et moi, nous vous dénicherons une jeune fille de bonne compagnie, et de fortune récente. Comptez sur notre appui et laissez-nous faire. *(Après des échanges de saluts avec des passants.)* Tiens, voici précisément ma sœur, mais d'où sort-elle? *(Entre Lise, en grand deuil.)* A pied, dans les rues, ma chère Lise?

LISE

Ma victoria est devant les Duval-Lavallée. Puis-je vous mener quelque part tous les deux?

OLIVIER

Je me sens un peu las, et rentrerais volontiers avec toi. Roussel, je vous attendrai dans mon bureau, en fin d'après-midi.

LISE

Mais j'ai un service à demander à notre cher Roussel : Ne pourriez-vous pas m'inviter à votre procès? *(A son frère.)* Je voudrais voir les yeux d'une femme qui regarde l'assassin de son mari.

ROUSSEL

Je serais étonné que la Veuve Capron vienne témoigner.

LISE

Brisée par l'émotion?

ROUSSEL

Plutôt pour ne pas répondre à certaines ques-

tions embarrassantes. Car elle était et est peut-
être encore la maîtresse de l'accusé.

LISE

De Durand?
Une pareille aventure dans ce monde-là? Je
n'en reviens pas. C'est incroyable!

OLIVIER

J'ai rencontré hier l'avocat de l'accusé. Char-
mant, beau garçon, bien élevé, un peu jeune, très
jeune même. Notre rencontre le gênait visiblement.
Il a voulu me convaincre que nous méconnais-
sions un grand mouvement humanitaire, profondé-
ment civilisateur.

ROUSSEL

Le syndicalisme? J'espère qu'il vous a livré le
thème de sa plaidoirie.

LISE

Pourquoi, cher monsieur Roussel?

ROUSSEL

Parce que devant un jury de paysans cauchois,
la défense du syndicalisme offrira à Durand les
cinq ans de prison que nous attendons.

LISE

Cinq ans dans le noir d'une prison? Je devien-
drais folle.

ROUSSEL

Habitué aux soutes des bateaux et à la poussière
du charbon, la prison sera un repos pour lui —

et pour nous! Durand n'est peut-être pas méchant, mais c'est un fou —, et dans la perspective des grandes vérités commerciales de notre époque, Durand est coupable.

OLIVIER, *à sa sœur.*

Je te conduirai moi-même à Rouen. Et j'en profiterai pour t'emmener dans un certain petit restaurant...

LISE, *à Roussel.*

Je suis gourmande!

OLIVIER

... Les villes épiscopales abritent toujours des tables de haute distinction. Soyons juste, mon cher Roussel, les catholiques savent manger mieux que nous. Ils ont le génie de la grande cuisine. Et je me demande même si, depuis que le monde est monde, on a connu un grand cuisinier protestant. Appelle la voiture, Lise! A ce soir, Roussel!

Les deux sortent d'un côté. Roussel d'un autre. Enchaînement sur la porte de la prison.

LA MÈRE

Voici la porte de la prison. Papa! Attendre notre fils à la porte de la prison!

JULIA

Mais puisque Jules est innocent!

LA MÈRE

C'est quand même une porte de prison.

LE PÈRE, *à la Mère.*

Ne sois pas nerveuse. Son avocat m'a bien expliqué qu'il doit aller chez le juge d'instruction à deux heures.

JULIA

Il n'est pas encore deux heures.

LA MÈRE, *à Julia.*

Demande à la voiture d'attendre.

LE PÈRE

Tant que le cocher n'est pas payé, il s'en ira pas!

LA MÈRE

On aura le droit de monter avec lui, en voiture?

LE PÈRE

Si les policiers acceptent...

JULIA

Accepteront-ils seulement que Jules monte en voiture?

LA MÈRE

On ne peut tout de même pas laisser notre fils se promener dans les rues, menottes aux mains, comme s'il avait volé!

> *Sortent de la prison, deux policiers et Jules, enchaîné.*

LA MÈRE, *hurlant.*

Notre garçon!

JULIA, *doucement.*

Jules.

LE PÈRE, *aux Policiers.*

Je suis son père *(il présente)*, sa mère, sa fiancée...

PREMIER POLICIER

Et où sont les petits cousins?

JULIA, *à Jules.*

Ta mère a loué un fiacre pour te conduire au Palais de Justice, si ces messieurs acceptent...

PREMIER POLICIER

Un fiacre! Mais il n'est pas inculpé d'escroquerie et d'abus de confiance!

DEUXIÈME POLICIER, *à Jules.*

Tu nous l'avais pas dit que t'étais un banquier en fuite!

LA MÈRE

Mais non. Nous sommes d'honnêtes gens!

JULES

Maman, renvoie le fiacre. Nous autres ouvriers, on a déjà trop de mal à gagner notre vie. Ne gaspille pas l'argent... Oui, la vie est bien dure, pour celui qui n'a pour lui que sa conscience et son honnêteté. Mais il y a déjà eu assez d'argent de perdu, depuis deux mois de prison que nous subissons très injustement, sans faire encore des frais...

PREMIER POLICIER

T'as fini, l'orateur?

JULES

Mais ne craignez rien, je rattraperai le temps perdu. Tu sais, maman, que dans mon métier, l'hiver on gagne plus d'argent...

LA MÈRE

Alors, tu veux pas du fiacre, mon gars?

PREMIER POLICIER

Une promenade à pied, la petite mère, ça lui fera du bien. C'est hygiénique.

DEUXIÈME POLICIER

C'est qu'on prend soin de sa santé, nous. [*(A Jules.)* Tiens, veux-tu fumer? une bonne cibiche?

JULES

Non, merci.

PREMIER POLICIER,
lui soufflant sa fumée au visage.

T'as tort, j'aurais eu tellement de plaisir à te la refuser! [1]]

DEUXIÈME POLICIER, *dur.*

En avant, marche.

JULES, *criant à ses parents.*

A dimanche! au parloir!

Ils sortent. Le Père, la Mère, Julia amorcent leur sortie pour les suivre.

LA MÈRE

Il se plaint pas. Il est bien courageux.

1. Peut être coupé à la représentation.

JULIA

Il sera bientôt jugé, maman. On arrivera alors à la fin de notre misère.

LE PÈRE

Avec tous ces cochons-là, je n'y crois plus à la fin de notre misère.

Enchaînement de lumière sur...

SCÈNE XII

LA COUR D'ASSISES

En haut, très éclairée, la Justice, balance et glaive.
A droite, trois juges. Devant eux, deux soldats en armes.
A gauche, cinq accusés. Jules, au centre du groupe,
encadré par les deux frères Boyer et, à l'extrême droite
et à l'extrême gauche, deux des tueurs de Capron.
Devant les accusés, deux avocats en noir, avec des
effets de manches. Près de la Cour, l'Avocat général, en
rouge, immobile. Au milieu de la scène, la barre des
témoins, éclairée par un projecteur qui s'allumera pour
montrer — et s'éteindra pour escamoter — les témoins.
La scène est tachée d'espaces noirs et de lumières vio-
lentes, sans ambiance.

UNE VOIX, *dans le noir.*

La Cour!

> *Les personnages sont éclairés, puis la barre des*
> *témoins. Aussitôt :*

PREMIER TÉMOIN, *bras levé.*

Je le jure.

JULES

Cet homme ne dit pas la vérité.

LE PRÉSIDENT

Accusé, taisez-vous!

JULES

Me taire! toujours me taire! Ici, seuls les menteurs ont la parole. *(Au témoin immobile, qui
tourne le dos à Jules.)* Regarde-moi! dans les yeux!
Répète ce que tu viens de dire en me regardant
en plein dans les yeux.

LE TÉMOIN, *sans tourner la tête, et relevant
le bras comme un automate.*

Je le jure!

LE PRÉSIDENT

Et l'accusé a fait voter la mort à main levée?

LE TÉMOIN

Non! Pas à main levée! on a crié la mort. C'est
tout.

LE PRÉSIDENT

Messieurs les jurés apprécieront.

> *Noir sur la barre. Lumière sur les avocats qui
> s'agitent; colloque des juges. Nouveau coup de
> lumière sur la barre.*

LA DEMOISELLE LESAGE

Je le jure!

LE PRÉSIDENT, *à l'un des accusés.*

Reconnaissez-vous avoir frappé les pavés avec
la tête de la victime?

PREMIER ACCUSÉ

Je ne dis pas non, parce que je peux pas dire non. Mais je dis pas oui, parce que j'en sais rien : paraît qu'on était soûls.

LE PRÉSIDENT, *à l'autre.*

Et vous?

DEUXIÈME ACCUSÉ

Je dis comme lui. Ça a commencé à la barrique de rhum. Et puis je me suis endormi. Quand je me suis réveillé, les agents me foutaient sur la goule.

L'AVOCAT

Ces ouvriers sont vêtus de noir, casquettes noires, pantalons de velours noirs, et noirs de figure, et dans la nuit noire, ce témoin ose affirmer qu'elle a reconnu les accusés, à plus de trois cents mètres du lieu du crime!

L'AVOCAT GÉNÉRAL

Parce que vous ne niez tout de même pas qu'il y ait eu crime?

JULES

J'avais demandé que tous les ouvriers soient respectés! Même ceux qui ne comprenaient pas encore...

L'AVOCAT GÉNÉRAL

Qui ne comprenaient pas quoi? les beautés de la guerre sociale?

JULES

Je dis pourtant la vérité!

L'AVOCAT GÉNÉRAL

Croyez-vous que nous ignorions la tendresse des chômeurs volontaires, en temps de grève, pour les ouvriers persistants?

LA DEMOISELLE LESAGE

Je le jure!

LE PRÉSIDENT

Messieurs les jurés apprécieront.

Même jeu de lumière.

DEUXIÈME TÉMOIN

Je le jure. Et en réunion publique! J'y étais!

JULES

Si j'avais été assez bête pour proposer la mort d'un ouvrier devant sept cent vingt-cinq personnes...

L'AVOCAT GÉNÉRAL

Alors, dites-moi pourquoi Capron, notre malheureuse victime, aurait-elle été armée? Pourquoi Capron prévoyait-il qu'il aurait à défendre sa vie, s'il n'avait su qu'elle était danger? La préméditation est évidente!

L'AVOCAT

Monsieur l'Avocat général, d'autres évidences m'aveuglent. Hier, dans cette même enceinte, devant ces mêmes juges, et vous-mêmes, un marin

hollandais a comparu. Au cours d'une rixe, sur
les quais, couteau à la main, il avait tué, lui-même.
Votre décision, messieurs, coups mortels, sans
intention de donner la mort. Deux ans de prison!
Et cependant, quand un homme en poignarde un
autre, ne peut-on pas être amené à penser que ce
soit dans l'intention de donner la mort? Or,
aujourd'hui où sont mes poignards? Je ne vois,
moi, qu'un revolver, et il était dans les mains de la
victime!

DEUXIÈME TÉMOIN

Et quand on a voté la mort, on l'a votée avec
l'appui des frères Boyer, ici présents!

GASTON

Le jour de l'accident, on n'était pas là!

LOUIS

Tous les deux, on était à la pêche aux moules!

JULES

Et c'est par devoir que tous les deux ils accep-
tèrent d'être les trésoriers de notre syndicat.

L'AVOCAT GÉNÉRAL

Trésoriers! Vous étiez donc en possession d'un
trésor pour alimenter cette grève qui paralysait le
port, ruinait la ville et par contrecoup la campagne, au profit de l'étranger? D'où venait cet
argent? Dans votre intérêt, je vous conseille de
nous donner des précisions.

JULES

Il est regrettable, monsieur l'Avocat général, que

vous n'ayez pas été un jour, seulement un jour, ouvrier charbonnier sur les quais, dans l'étouffement de la poussière noire. Peut-être comprendriez-vous mieux...

L'AVOCAT GÉNÉRAL

Je n'ai pas à vous « comprendre », mais à vous montrer. Ce n'est pas moi qui vous juge, et ceux qui vous jugeront — sur douze, neuf sont de petits fermiers —, n'ont pas besoin de vos leçons pour savoir ce qu'il faut penser d'ouvriers qui travaillent quand ils ont envie de travailler, qui chôment quand ils ont envie de chômer, et qui se reposent tous les dimanches! Ils savent, eux, devant leurs récoltes que vos amis anarchistes s'amusent quelquefois à incendier, qu'il n'y a ni chômage possible ni grève souhaitable quand on est de la campagne, où la nature donne l'exemple et travaille, elle aussi, jour et nuit, pendant toutes les semaines de tous les mois de l'année!

DEUXIÈME TÉMOIN, *reprenant.*

Ils frappaient en criant : « En as-tu assez, salaud? » Et la tête résonnait sur le pavé.

L'AVOCAT GÉNÉRAL

Mais oui, ils le supprimaient!

JULES

J'ai toujours parlé avec douceur aux ouvriers qui sont mes frères...

L'AVOCAT GÉNÉRAL

En les faisant assommer par vos costauds! Vous

êtes le plus méprisable des accusés parce que le plus hypocrite! Il y a eu crime, même votre avocat l'a reconnu. Et ce crime, ce ne sont pas les malheureux ivrognes que vous avez soûlés pour l'exécuter qui en sont les vrais responsables, mais vous, Durand, qui avez donné l'ordre du massacre!

L'AVOCAT

Monsieur l'Avocat général, vous anticipez... et semblez commencer déjà votre réquisitoire...

LE PRÉSIDENT, *au Deuxième Témoin.*

Et la mort, comment l'a-t-on votée?

DEUXIÈME TÉMOIN

On l'a votée... en la votant...

LE PRÉSIDENT

En criant? A main levée?

DEUXIÈME TÉMOIN

A main levée! D'abord, ils levaient toujours la main!

L'AVOCAT

Je souligne ici les contradictions des témoins.

L'AVOCAT GÉNÉRAL

Depuis quand est-il impossible de crier tout en levant la main?

JULES

J'ai fait renvoyer cet homme du Syndicat pour une grave faute professionnelle. Il parle sans véracité et avec raucune. Pendant la grève, il était mouchard...

L'AVOCAT GÉNÉRAL

Vous l'eussiez préféré tueur?

LE PRÉSIDENT

Messieurs les jurés apprécieront.

Jeu de lumière.

DELAVILLE, *à la barre.*

Je le jure.
Pendant la grève, une dizaine de charbonniers étaient restés fidèles. Nous les gardions à bord de nos navires et nous les logions, car j'avais appris la décision de Durand de les supprimer!

JULES

De les supprimer du Syndicat!

Rumeur dans le public.

L'AVOCAT

Quand nous parlons suppression, nous pensons radiation.

JULES

S'en séparer, c'est clair...

L'AVOCAT GÉNÉRAL

Mais oui, s'en débarrasser, c'est très clair...

L'AVOCAT

Avec cet abus de langage...

L'AVOCAT GÉNÉRAL

Un terrible abus de langage, il a mené au crime!

L'AVOCAT

Mais non! Et c'est tout le procès!

L'AVOCAT GÉNÉRAL

Parce que, maintenant, vous niez le crime que vous reconnaissiez tout à l'heure?

LE PRÉSIDENT

Messieurs les jurés apprécieront.

Jeu de lumière.

LE CHEF DE LA SÛRETÉ

Je le jure.

L'AVOCAT GÉNÉRAL

Monsieur le Chef de la Sûreté, vous venez nous dire, l'instruction nous l'a appris, que vous n'aviez pas entendu l'accusé Durand demander la mort de Capron. Mais, en votre âme et conscience, devant MM. les jurés, sous la foi du serment, pouvez-vous jurer aussi, qu'en dehors de votre présence, Durand n'a pas exigé de ses costauds attitrés cette mort du malheureux Capron?

LE CHEF DE LA SÛRETÉ

Comment pourrais-je affirmer une chose pareille?

L'AVOCAT GÉNÉRAL

C'est tout ce que je voulais vous faire dire, monsieur le Chef de la Sûreté!

L'AVOCAT

Le témoin pourrait-il nous apprendre ce qu'il pense de l'accusé? Était-ce un homme calme?

LE CHEF DE LA SÛRETÉ

Oui!

L'AVOCAT

Sobre?

LE CHEF DE LA SÛRETÉ

Oui. C'est un travailleur qui s'est toujours bien conduit, n'a jamais subi de condamnation, et vit chez ses parents qu'il semble bien aimer ainsi qu'il aimait ses compagnons de travail.

L'AVOCAT GÉNÉRAL

On peut constater que dans ce procès aucune pression d'aucune sorte n'a été exercée, et que c'est jusqu'à la police qui tient à ne pas charger un accusé que MM. les jurés, seuls, ont le droit de juger.

JULES

J'ai toujours dit aux ouvriers qu'il fallait supprimer l'alcool et la jalousie.

L'AVOCAT GÉNÉRAL

L'alcool, nous en avons parlé, quant à la jalousie, dans votre intérêt, n'en parlez pas trop, sinon vous risqueriez d'avoir à nous expliquer une curieuse absence, que je m'étais promis de ne pas évoquer.

JULES, *qui ne comprend pas.*

Je parle de la jalousie des ouvriers dans le travail.

L'AVOCAT GÉNÉRAL

Nous le savions déjà, l'accusé est très intelligent :
il comprend tout à demi-mot.

Jeu de lumière.

LÉVÊQUE

Je le jure.

Il m'a dit que son syndicat n'était pas un syndicat comme les autres; qu'il était révolutionnaire,
avec des anarchistes à sa tête.

L'AVOCAT GÉNÉRAL

Je demande à l'accusé s'il reconnaît avoir déclaré
qu'il avait fondé un syndicat révolutionnaire, en
faveur de l'anarchie sociale?

JULES

Oui, je suis révolutionnaire! Quel honnête
homme voudrait conserver un système social qui
accule les ouvriers à la misère et à l'alcoolisme?
Oui, je suis anarchiste! Quel honnête homme ne
serait pas anarchiste lorsqu'il voit les gouverne-
ments, véritables associations de profiteurs, pro-
téger et défendre...

LE PRÉSIDENT

Accusé, dans votre intérêt, je vous retire la
parole!

LÉVÊQUE

Il a ajouté que si son père, en temps de grève,
ne faisait pas grève, il faudrait le supprimer, lui
aussi, comme les autres. Son père!

JULES

Je connais cet homme. Il est mon cousin.
Regarde-moi, Lévêque, dans les yeux. Bien. Et
maintenant devant ton bon Dieu, tu sais que je
peux te souhaiter d'aimer ton père autant que
j'aime le mien! Cet homme, monsieur le Président,
qui vient ici mentir contre moi, je l'ai fait condamner en conseil des prud'hommes pour vol...

LÉVÊQUE

C'est pas vrai!

L'AVOCAT, *à Jules*.

Taisez-vous! une amnistie vous interdit de rappeler cette histoire.

L'AVOCAT GÉNÉRAL

Durand, avec le mot « Dieu » dans la bouche,
vous croyez-vous en train de prêcher dans la
chaire de Notre-Dame? Et pensez-vous que la
place vous soit bonne, accusé d'assassinat, pour
nous donner des leçons de morale?

LÉVÊQUE

Je m'étonne d'entendre, aujourd'hui, Jules se
renier comme s'il avait peur...

JULES

Malheureuse larve jésuite, quand ai-je caché
que je suis anarchiste révolutionnaire, fier de mon
grand espoir dans l'avenir du genre humain?

L'AVOCAT

Je tiens à souligner, devant le jury, l'honnêteté

de mon client qui ne fait aucun effort pour atté-
nuer ses opinions morales et politiques.

LE PRÉSIDENT

MM. les jurés apprécieront.

Jeu de lumière.

ROUSSEL, *se dégantant lentement.*

Je le jure.

JULES

C'est donc vous, monsieur Roussel!

ROUSSEL

Oui, Durand, c'est moi.

JULES

Nous voici face à face, enfin!

ROUSSEL

Oui et, je le crains bien, trop tard, et je le
regrette, car, je n'hésiterai pas à le dire ici, je vous
estime, Durand. *(Rumeurs et étonnements.)* Ah!
vous vous êtes souvent mis en travers de mon
chemin, et quand je luttais de toute mon âme
pour la prospérité du port, ruinant tous mes efforts,
peut-être sans le savoir, vous travailliez à sa perte.
Et plusieurs fois, je me suis incliné devant vous;
car les paquebots devaient partir avec le courrier,
et je mettais la précision des horaires au-dessus
de mon amour-propre, non sans difficultés avec
moi-même, quelquefois. Je n'ignore pas, quoi que
vous en disiez, l'enfer des soutes, au fond des
navires. Et comme j'en prends la responsabilité,

j'en souffre encore plus que vous, Durand! Et je comprends, moi, ce que vous ne comprenez pas, et je l'excuse après la fatigue du travail, cette recherche du réconfort de l'absinthe...

JULES

L'absinthe est un crime que vous ajoutez à vos autres crimes.

Rumeur.

LE PRÉSIDENT

Accusé, crime est encore un mot qu'on aimerait ne pas rencontrer dans votre bouche, lorsque...

JULES

Je suis contre l'alcool!

L'AVOCAT GÉNÉRAL

Puisque ce procès tourne à la réunion électorale, pourquoi nous priver et ne pas demander en passant à l'accusé ce qu'il pense des bouilleurs de cru?

L'AVOCAT

Monsieur l'Avocat général, je défends l'honneur et la liberté d'un homme...

JULES

Oui, je suis contre les bouilleurs de cru qui empoisonnent les campagnes, comme l'absinthe empoisonne les villes.

L'AVOCAT GÉNÉRAL

Il est bon que MM. les jurés, qui sont gens de la terre, sachent à quoi ressemblerait leur avenir si les amis de l'accusé parvenaient à s'emparer du pouvoir.

ROUSSEL

Monsieur l'Avocat général, je vous demande une faveur et votre redoutable talent peut me l'accorder. Je voudrais, monsieur le Président, lancer au jury un appel à l'indulgence. D'abord pour ceux qui dans l'inconscience de l'ivresse, exaspérés par la grève qu'on leur imposait, ont frappé un de leurs camarades...

JULES

Voilà le tragique de la grève. Que la grève oppose des ouvriers misérables à des patrons incompréhensifs...

LE PRÉSIDENT

Le témoin est loin de donner le sentiment d'une incompréhension.

Geste indulgent de Roussel.

JULES

...c'est déjà pénible, car le patron et l'ouvrier sont des hommes qui devraient s'aimer en tant qu'hommes, mais que la grève oppose des ouvriers à d'autres ouvriers — voilà le déchirement —, qu'au sein de la même classe, on se divise...

ROUSSEL, à *Jules.*

Et comment un homme aussi compréhensif que vous a-t-il essayé d'organiser un sabotage systématique...

JULES

Moi?

ROUSSEL

N'avez-vous pas essayé de saboter la nouvelle machine automatique que j'installais sur les quais, précisément pour supprimer la peine des hommes?

JULES

Elle supprimait avant tout leur travail, leur salaire, leur dernier espoir d'une bouchée de pain...

ROUSSEL

C'est la rançon du progrès.

JULES

Oui, et tandis que vous empochiez les bénéfices du progrès, c'étaient les ouvriers qui payaient la rançon.

ROUSSEL

Durand, pourquoi ne vous êtes-vous jamais honnêtement mis à notre place? Vous connaissez vos difficultés, et vos difficultés, moi je les connais, mais connaissez-vous les nôtres? L'angoisse du chef, seul dans son bureau, devant ses chiffres qui, comme le patron vous commande, commandent le patron, et quelquefois sans aucune pitié; je ne peux pas vous en dire davantage. Ah! Durand, pourquoi n'êtes-vous pas venu chez nous, avec nous, devant ces chiffres? Avec votre habitude des quais, votre autorité naturelle, dont vous avez donné tant de preuves regrettables, quel avenir s'ouvrait devant vous! Aujourd'hui, vous seriez peut-être un chef respecté, au lieu d'être devenu un assassin inutile.

JULES

Je ne suis pas un assassin et vous le savez mieux
que personne. Vous osez me reprocher de ne pas
être venu vous voir? Votre porte nous était toujours bouclée! Et quand je vous ai fait demander
la fermeture des cafés sur les lieux de travail, vous
avez répondu? Et quand j'ai fait demander qu'on
ne retienne pas les dettes sur la totalité du salaire,
vous avez répondu? Et quand j'ai fait demander
l'installation d'un système de douches près du
fourneau économique, vous avez répondu? On
nous a dit que vous qui ne riez jamais, et qui
passez pour un pète-sec, vous auriez même rigolé,
pour la première fois de votre vie.

ROUSSEL

Avant de me retirer, je voudrais, monsieur le
Président, dans l'intérêt même du travail sur les
quais et dans le port, renouveler mon appel à
l'indulgence du jury. Il est impossible de ne pas
trouver des circonstances atténuantes à un crime
dont j'abandonne l'évocation au terrible réalisme
de M. l'Avocat général. Les uns, ivres, ont obéi à
un mot d'ordre. Les frères Boyer étaient et sont
encore fascinés par Durand, et je me demande
encore de quoi ils peuvent être coupables. Quant à
Durand, qui, honnêtement, peut dire que ce soit
un assassin ordinaire? Sont plus coupables que lui,
ses théories, absorbées hâtivement dans les cours
du soir des Universités populaires. Certes, un
acquittement serait désastreux, et laissez-moi vous
parler au nom de l'Union des Armateurs, toute discipline alors deviendrait impossible. Un acquitte-

ment consommerait la ruine du port. Mais après une condamnation de principe qui est nécessaire, laissez à un homme du métier, qui a vécu le drame, qui en connaît les acteurs, réclamer pour tous, encore une fois, le bénéfice des circonstances atténuantes.

JULES

Si je comprends bien, vous demandez pour moi la prison? Et vous n'avez pas honte?

LE PRÉSIDENT

Accusé! c'est ainsi que vous remerciez le témoin qui vient de déposer avec une humanité qui force le respect?

L'AVOCAT GÉNÉRAL

Je signale l'insensibilité peu sympathique de l'accusé.

JULES

C'est peut-être que vous ne connaissez pas M. Roussel. Moi, je le connais. Oh! Dieu sait que...

L'AVOCAT GÉNÉRAL

Où voulez-vous en venir avec ces perpétuelles invocations au Seigneur? Derrière quel écran voulez-vous cacher votre ignoble matérialisme? Alors, vous seriez aussi un bon catholique?

JULES

Et vous, pourquoi faites-vous toujours semblant de croire que je suis un menteur? Dieu, dans mon langage, n'est pas le vieux monsieur à barbe des

peintures de musée, ni le père fouettard de l'éter-
nité; Dieu dans mon langage, c'est le mystère de
ma naissance, c'est l'incroyable trou noir de ma
mort, c'est mon angoisse devant la peine des
hommes, c'est ma pitié pour les vivants! Dieu, c'est
tout ce que je ne comprends pas, c'est le mot dont
je recouvre l'existence du monde, Dieu, c'est
l'autre nom du silence terrible dans lequel nous
vivons, et aussi de cette ignorance qui jette les uns
contre les autres des hommes qui devraient s'aimer
puisque sur cette terre perdue et muette où nous
passons tout juste quelques années...

LE PRÉSIDENT

Accusé, ces prédications sont hors de propos...

L'AVOCAT GÉNÉRAL

Eh bien, pour nous qui sommes des hommes
simples, Dieu c'est un petit enfant qui vient de
naître, entre un bœuf et un âne, chez ces gens de
la campagne qui travaillent sans relâche, et que
le sourire de cet enfant récompense la nuit de
Noël, car pour ces hommes, Jules Durand, la nuit
évoque le fils de Dieu, et non pas le bruit d'un
crâne qu'on écrase sur le pavé des villes.

ROUSSEL

Monsieur l'Avocat général. Celui qui vient d'ap-
paraître dans votre discours n'a-t-il pas toujours
offert d'abord l'indulgence?

L'AVOCAT GÉNÉRAL

C'est au nom de la Société que je dois parler,
de cette Société que je dois défendre.

LE PRÉSIDENT

Je rappelle au témoin qu'il ne doit déposer que sur des faits.

ROUSSEL, *agacé.*

Mais les faits sont évidents, et parlent d'eux-mêmes : une grève, un mot d'ordre, et un cadavre.

Roussel se retire. Les avocats se lèvent pour le saluer.

Grosse impression chez les juges. Jules accablé. La lumière l'accompagne. Puis le noir sur la barre, lorsqu'elle s'éclaire de nouveau.

LE DOCTEUR FAUVEL

Je le jure!

J'ai vu, pendant la grève, les ouvriers manger à la cantine leur brouet spartiate avec une dignité antique. Je veux rappeler aussi que sur l'ordre de Durand le charbon fut transporté gratuitement à l'hôpital afin que les malades ne souffrissent point de la grève.

L'AVOCAT GÉNÉRAL

En effet le témoin est docteur en médecine, mais n'est-il pas aussi quelque chose dans une ligue intitulée, paraît-il, Ligue des Droits de l'Homme et du Citoyen?

LE DOCTEUR FAUVEL

J'en suis le président local.

L'AVOCAT GÉNÉRAL

Une ligue à tendance politique?

LE DOCTEUR FAUVEL

Plutôt philosophique.

L'AVOCAT GÉNÉRAL

Et l'accusé Durand n'est-il pas aussi membre de cette ligue un peu turbulente?

LE DOCTEUR FAUVEL

Tous les hommes n'ont-ils pas des droits de citoyen à faire respecter?

L'AVOCAT GÉNÉRAL

Je vous remercie, Docteur, mais vous arrivez trop tard, et en dépit de votre amitié pour votre collègue *(c'est Jules)* et de toute votre science, vous ne parviendrez pas, même pour l'amour de votre ligue, à ressusciter la victime, qui, elle, est morte sans assistance médicale et sans que lui fussent reconnus ses droits d'homme et de citoyen.

L'AVOCAT

Me permettez-vous, monsieur le Président, de m'étonner non du talent, mais de la violence de M. l'Avocat général?

LE PRÉSIDENT

MM. les jurés apprécieront. *(Jeu de lumière. Le Père, à la barre, lève le bras.)* Vous n'avez pas à prêter serment. La loi respecte une certaine solidarité familiale.

LE PÈRE

Oh! mais je peux dire « Je le jure », parce que, comme Jules, je ne suis pas menteur.

JULES

Papa!

LE PÈRE *voit Jules.*

Mon garçon!

JULES

Bien loin de ma pensée, papa, que j'aurais pu finir ainsi!

LE PRÉSIDENT, *au Père.*

Tournez-vous vers la Cour. *(Puis écoutant avec tout le tribunal un juré invisible.)* Comment? Je n'entends pas! Ah! bon. *(Au Père.)* Vous avez entendu la question? M. le Troisième Juré demande au témoin s'il a su que l'accusé avait voulu le faire supprimer.

LE PÈRE, *qui ne comprend pas.*

Quoi?

JULES

On te demande si tu sais que j'ai voulu t'assassiner.

LE PÈRE

Ils sont fous?!

LE PRÉSIDENT

Je prierai le témoin de mesurer ses paroles.

LE PÈRE

Me faire assassiner, mon fils? Quand j'ai été malade, c'est mon garçon qui m'a soutenu, et maintenant je n'ai même plus le droit de travailler.

L'AVOCAT

N'avez-vous pas toujours vécu en bonne intelligence avec votre fils?

LE PÈRE

Je ne sais pas si on est intelligents, mais on est honnêtes. Et maman a raison de répéter que ce n'est pas juste qu'on soit devenus des malheureux.

JULES

Papa, quand je reviendrai à la maison, nous recommencerons à être heureux.

LE PÈRE

On t'attend, mon gars, ta mère et moi, mais dépêche-toi, car c'est bien long. La nuit surtout, quand on ne dort pas et qu'on pense que toi, t'es en prison.

L'AVOCAT GÉNÉRAL

Le témoin n'a pas encore répondu à la question de M. le Troisième Juré. Est-il exact que votre fils ait déclaré qu'il eût demandé votre suppression, comme il demanda celle de Capron, si vous aviez travaillé pendant une grève?

LE PÈRE

Si j'avais travaillé pendant une grève? Eh bien, maintenant, je connais la réponse : si mon fils l'a dit, il a eu raison de le dire.

L'AVOCAT GÉNÉRAL

Êtes-vous syndiqué?

LE PÈRE

Moi? Non! même pas.

L'AVOCAT GÉNÉRAL, *triomphant.*

Alors, comment l'accusé aurait-il pu demander
votre suppression d'un syndicat auquel vous n'ap-
parteniez pas? Voilà, enfin, messieurs, le mot
« supprimé » parfaitement défini!

JULES

C'était au cas où, lors d'une grève, mon père se
serait syndiqué...

L'AVOCAT GÉNÉRAL

Nous n'avons plus besoin d'explications! Supprimer n'a rien à voir, ni de loin ni de près, avec
un syndicat. La suppression, c'est la mort! Et ce
mot, désormais, ne me quittera plus jusqu'à la fin
de ces débats, où je le prononcerai pour la dernière
fois, avec une conscience tranquille et apaisée.

LE PÈRE

Qu'est-ce qu'ils bafouillent, tous ces oiseaux-là!

LE PRÉSIDENT

Je vous rappelle pour la dernière fois au respect
de la Cour et à la politesse.

LE PÈRE

La politesse? Si on vous avait barboté votre
gars innocent pour le fourrer en prison, avec toute
votre politesse, je voudrais bien entendre quelle
chanson vous chanteriez!

LE PRÉSIDENT

Gardes, faites sortir le témoin.

JULES

Papa!

LE PÈRE

Ah! Dépêche-toi, Jules, ta pauvre mère se fait si vieille! *(Aux deux gardes.)* Ah! vous! Ne me touchez pas! Nom de Dieppe!

LE PRÉSIDENT

Gardes, expulsez le témoin!

Et je demanderai à la défense d'obtenir de ses témoins un minimum de correction si elle veut que la Cour puisse continuer à les entendre. *(Jules pleure.)* Faites entrer le deuxième témoin de moralité. *(Jeu de lumière. Julia affolée.)* Approchez. Encore! levez la main droite, dites : « Je le jure. »

JULIA, *éperdue.*

Je le jure, je le jure, oui, je jure que c'est un honnête homme. Autrefois, on aurait dit un saint, car les saints ont toujours été emprisonnés, torturés par les puissances du jour...

LE PRÉSIDENT

Je prierai le témoin d'être moins véhémente dans l'intérêt même de l'accusé.

JULIA

Je vous demande pardon, monsieur le Président, mais dans l'isolement de la salle des témoins, je me répète depuis deux jours toutes mes phrases, et j'étouffe, et toutes les vérités qui sont en moi voudraient sortir en même temps. J'ai vécu près de cet homme pendant trois ans, et devant la justice de mon pays, je veux dire la vérité. La police s'est trompée...

L'AVOCAT GÉNÉRAL, *ricanant.*

Vraiment? Le Chef de la Sûreté? Le seul défenseur de l'accusé?

JULIA

J'ai lu tous les journaux depuis l'arrestation. Eh bien, tous parlent à tort et à travers de ce qu'ils ignorent. Quand je pense à ce qu'ils ont osé imprimer! Assassin? Un homme qui voulait faire naître le bonheur? Toutes ses paroles ont été déformées... Même les patrons trouvaient grâce devant lui. Pour excuser les autres, il s'accusait lui, d'abord. Il voulait toujours être le seul coupable...

L'AVOCAT GÉNÉRAL, *ricanant.*

Ai-je dit quelque chose d'autre?

JULIA

... parce que son cœur débordait d'amour. *(L'Avocat général fait, avec le poing, le geste d'écraser un crâne sur le pavé.)* Qui n'a pas traversé nos épreuves ne saura jamais la différence qui existe entre l'image que la rumeur publique fabrique d'un homme, et ce qu'il est en réalité. Avec quelle lâcheté s'acharne-t-on à mettre des masques sur les visages de nos voisins, comme si l'on n'osait pas se regarder, à nu, les uns les autres, comme si l'on

n'osait pas regarder ses frères et ses sœurs sans les
cacher derrière un déguisement qui nous rassure.
Mais Jules Durand, la bonté même, pourquoi
l'avoir déguisé en assassin? Un homme tendre...
Jamais je ne l'ai entendu élever la voix, jamais
personne ne l'a vu en colère, un homme qui serait
incapable de gronder un petit enfant...

> *Elle pleure.*

JULES

Julia!

JULIA

Notre petit enfant qui t'attend, lui aussi.

L'AVOCAT GÉNÉRAL

Messieurs, j'avoue mon trouble, la pitié me
mouille les yeux, j'en cherche mes mots; néanmoins, j'en trouve encore assez pour demander à ce
témoin de moralité qui elle est.

JULIA

Qui je suis?

L'AVOCAT GÉNÉRAL

Oui, votre situation sociale.

JULIA

Je suis ouvrière d'usine.

L'AVOCAT GÉNÉRAL

Je vous en prie, mademoiselle, n'essayez pas de
tromper la Cour. L'accusé, nous le savons, est
en instance de divorce; cela veut dire que son
mariage n'est pas dissous. Cela veut dire que

Durand est marié. Or, qui est ce pathétique témoin de moralité? Une fille qui vivait en concubinage avec l'accusé, et qui plus est : une fille mère!

JULIA

Fille mère? Jules!

JULES, *se dressant, poing levé.*

Ah! salaud! salaud!

Brouhaha.

LE PRÉSIDENT

Accusé, veuillez vous rétracter immédiatement!

JULES

En arriver à cette bassesse! Je suis donc si dangereux?

L'AVOCAT GÉNÉRAL

Je vous en prie, laissez l'accusé qui ne se mettait jamais en colère, incapable de gronder un enfant, montrer enfin, le poing levé, son véritable visage! le visage de cette nuit-là où fut ordonné et organisé l'assassinat!

LE PRÉSIDENT

Pour l'honneur de la Cour, je vous ordonne de vous rétracter!

JULES

Oui. Ils ne sont que sourds et aveugles.

L'AVOCAT GÉNÉRAL

Mais pas assez sourds pour ne pas entendre les cris de votre victime, ni aveugles au point de ne

pas voir, gisant sur le pavé, le cadavre d'un homme
assassiné parce qu'il voulait travailler afin de nourrir, lui, ses enfants légitimes.

Julia a une crise de larmes.

LE PRÉSIDENT

Gardes, expulsez le témoin.

Sortie.

JULES

Pourquoi, chaque fois qu'un homme vient sur
la terre dire à ses frères : « Aimez-vous les uns
les autres », pourquoi ce déchaînement de haine
et d'hypocrisie?

L'AVOCAT GÉNÉRAL

Au nom de la Société, je réclamerai le prix du
sang. Dans votre verdict, vous direz si vous êtes
pour la paix sociale et le progrès, ou pour l'anarchie et le désordre...

L'AVOCAT

Messieurs les jurés, on fait ici le procès du syndicalisme, alors que vous avez à juger un crime de
droit commun. A part M. le Président du jury,
qui est docteur en médecine, vous êtes tous, ici,
gens de la campagne. Alors comment vous expliquer la nécessité du syndicalisme?

L'AVOCAT GÉNÉRAL

Il y a eu mort d'homme. Œil pour œil, dent
pour dent et tête pour tête. Le prix du sang.

L'AVOCAT

A travers un homme dont l'innocence ou la

culpabilité est en cause, on fait le procès de la
classe ouvrière... Écoutez-moi, je voudrais essayer
de vous expliquer... *(La lumière a baissé, et vient
au noir. Sur un roulement de tambour on entend :)*
Que votre sentence ne soit pas une vengeance!

> *Le roulement de tambour devient assourdissant.
> Retour d'un coup à l'éclairage normal. Dans le
> silence.*

UNE VOIX, *au retour de l'éclairage normal.*

Messieurs, la Cour!

> *Assistance debout. Entrent les juges.*

LE PRÉSIDENT

Attendu que le jury a déclaré :

Mathieu, coupable d'avoir, le 9 septembre 1910,
volontairement donné la mort avec préméditation,

Attendu que le jury a reconnu l'existence de circonstances atténuantes, la Cour condamne Mathieu
à quinze ans de travaux forcés. *(Mathieu s'assied.)*
Couillandre, à huit ans de la même peine. *(Couillandre s'assied.)* Vu la déclaration du jury portant
que les nommés Boyer, Louis et Gaston, ne sont
pas coupables, les déclare acquittés et ordonnons
qu'ils soient immédiatement mis en liberté. *(Joie
des frères Boyer et de Durand.)* Attendu que le
jury a déclaré Durand, coupable d'avoir provoqué
le crime par dons, promesses, menaces, abus
d'autorité, machinations et artifices, avec préméditation et guet-apens, condamne Durand, Jules,
à la peine de mort. Le condamné aura la tête
tranchée sur l'une des places publiques de la ville.

JULES, *portant les mains à son cou.*

La tête tranchée? Ce n'est pas possible! Messieurs, c'est encore une erreur! Maman, maintenant ils veulent me couper le cou!

> *On entend le cri de Julia. L'Avocat général se frotte les mains : il a gagné.*

LE PRÉSIDENT

L'audience est levée.

> *Un roulement de tambour. Enchaînement sur...*

SCÈNE XIII

A l'avant-scène gauche, l'amorce d'une rue. Jusqu'à la fin de la scène et de la pièce, un accompagnement de tambour dont le rythme variera.

ROUSSEL

Quels idiots! quels idiots!

OLIVIER

Mais, mon cher, qui nous a dit qu'il était coupable, si ce n'est vous?

ROUSSEL

Il ne s'agit pas de savoir si cet imbécile méritait ou ne méritait pas la mort, mais si cette mort nous arrange, ou bien ne nous arrange pas. Eh bien, elle ne nous arrange pas du tout! Cinq ans! Monsieur le Président, et il sortait de prison abruti, ignoré, dépassé, il disparaissait. Mort, nous ne pourrons plus nous en débarrasser. Je voulais noyauter le jury. Le Préfet s'est méfié de nous. Cet imbécile croyait que je voulais le maximum. Eh bien, je lui en souhaite, maintenant, au Préfet : les réjouissances vont commencer!

OLIVIER

Le coup est joué, mon cher, ne revenons plus
là-dessus.

ROUSSEL

J'ai bien peur que les autres y reviennent là-
dessus, et très vite.

Ils sortent.
A l'avant-scène droite s'éclaire un fragment
de décor de gare, les rails étant en coulisse. La
batterie prend un rythme de train qui roule.
Sur un écran apparaît un titre de journal :
« Le père de Jules Durand tente de se suicider en
se jetant sous un train dans la gare de Rouen. »

JULIA

Quelle âme honnête pourra supporter ce scandale?

LA MÈRE, *priant.*

Que votre volonté soit faite...

JULIA

Non! je ne me résignerai pas au malheur; et
je dénoncerai le scandale... *(La batterie augmente.)*
Et s'il le faut j'appellerai le monde entier à la
révolte...

Le rideau d'avant-scène s'écarte, apparaît à
gauche la cellule de Durand, lumière allumée.

JULES, *tête rasée, fers aux pieds.*

Gardien, éteignez la lumière! gardien! je suis
innocent! éteignez la lumière!

LE GARDIEN

La loi, c'est la loi! On te coupera la lumière quand on te coupera le cou! Ah! dehors, vous croyez tous que c'est de la rigolade! Maintenant t'es fixé! Premièrement, les jurys acquittent trop souvent les assassins. Aussi pour une fois que j'en tiens un, je vais te soigner; avec la loi, nuit et jour lumière allumée, fers aux pieds, en attendant qu'on te coupe le cou, tête d'un côté et le ventre de l'autre...

JULES

Éteignez la lumière. Je veux dormir... ma tête qui éclate.

LE GARDIEN

Mais non. Et refroidie, on la posera gentiment sur une étagère.

Il rit.

JULES

Julia! Julia! Toi que je ne reverrai jamais.

Roulement de tambour.
En haut d'une tribune (sous laquelle, à gauche, est la cellule, et tout à l'heure, à droite, apparaîtra un coin du salon des Buggenhart), ornée de dra-peaux rouges, le Délégué entouré des frères Boyer et de deux autres ouvriers.

LE DÉLÉGUÉ

La séance est ouverte. Camarades, un de vôtres, par ordonnance de justice, va être guillotiné. *(Hurlements.)* Il est innocent; et il a été condamné parce qu'il était innocent! Allez-vous laisser commettre cette infamie? D'abord, votez la grève dans toutes les corporations de la ville! *(Hurlements.)* et un appel à tous les syndicats du monde entier, car un crime contre un ouvrier quelque part dans le monde intéresse la classe ouvrière du monde entier! Exigeons la grâce immédiate de Durand et la révision du procès! Donnez tous une signature pour la grâce de Durand! Moi, qui ai vu mon père, non pas le cou coupé, mais le ventre ouvert, par ces forces aveugles qu'on appelle les forces de l'ordre... *(Hurlements. Apparaît Julia.)* Camarades, la compagne de Jules Durand a une communication à vous faire.

JULIA *est à la tribune. Acclamations.*

La citoyenne veuve Capron veut que l'on sache qu'elle a signé la pétition pour la grâce de Durand, car son exécution, m'a-t-elle dit, mettrait une rancune ineffaçable entre le milieu ouvrier auquel elle appartient ainsi que ses trois petites filles... *(Acclamations.)* Elle fait son choix dans une situation tragique... mais elle sait qu'il y a eu des faux témoignages volontaires et elle veut le dire devant les juges, bien qu'on l'ait prévenue qu'alors, elle serait arrêtée, elle aussi, comme complice.

Hurlements. Un ouvrier arrive essoufflé et remet un papier au Délégué.

LE DÉLÉGUÉ

Citoyens! Pour protester contre la condamnation de Durand, le port de Dunkerque est en grève! *(Acclamations. On chante* L'Internationale. *Un autre ouvrier monte à la tribune.)* Les ports de

Bordeaux, Marseille et Cherbourg déclenchent des grèves de solidarité! *(Acclamations, puis, sur un geste du Délégué, le silence. On entend des mots lointains, des cris de bagarres et des phrases espagnoles.)* Camarades, le port de Bilbao est en état de siège. Les ouvriers charbonniers d'Espagne se sont révoltés pour obtenir la libération de Jules Durand. *(Acclamations.)* Le mouvement s'étend en Italie. Naples est en grève.

UN MESSAGER *monte à la tribune.*

Citoyens! Liverpool est en grève!

UN AUTRE MESSAGER

Notre mouvement prend une ampleur qui déconcerte et terrifie le patronat : les syndicats de Chicago ont décidé une grève de solidarité.

LE DÉLÉGUÉ

Chicago! la citadelle du syndicalisme! Chicago, la ville des six martyrs que nous honorons chaque année le 1er mai!

Acclamations. Tambour.

JULIA

Je reçois une lettre de notre camarade Jules Durand. Il m'écrit de sa prison : « Je ne croirai jamais que des hommes aussi malhonnêtes puissent triompher! »

Hurlements : « Non! Non! »

LE DÉLÉGUÉ

Continuons le combat pour l'arracher à la cellule des condamnés à mort, où, tête rasée, fers aux pieds, cet innocent attend, dans l'angoisse, chaque nuit, la montée du petit jour...

UN MESSAGER

Les syndicats d'Australie, les ouvriers de Sydney, les marins de Melbourne...

UN AUTRE MESSAGER

Les ouvriers de Cardiff, Newcastle, Birmingham...

UN AUTRE MESSAGER

Les ports d'Anvers, de Cadix et d'Hambourg sont en grève! Vive Jules Durand!

Acclamations.

LE DÉLÉGUÉ

Le tsar sanglant, l'empereur de toutes les Russies, l'impérial bandit, le maquereau de la République française, qui vient encore de nous taper de cinquante millions de roubles, a prononcé dans la seule journée d'hier treize nouvelles condamnations à mort, toutes exécutées. *(Hurlements.)* Veut-il donner des leçons à notre président Fallières et le transformer en petit père coupe-toujours?

JULIA

Les ouvrières de France lancent un appel à la grève générale pour sauver Jules Durand.

Acclamations.
Sous l'estrade, à droite, apparaît un fragment de salon, chez les Buggenhart.

LISE, *en amazone.*

Comme vous êtes agité, mon petit Roussel.

ROUSSEL

Comprenez-vous bien la situation?

LISE

Parce que nos ouvriers font un peu de bruit dans les rues?

ROUSSEL

... Dans les rues du monde entier.

OLIVIER

Qu'attendent-ils pour exécuter la sentence?

ROUSSEL

Certes, un martyr mort est quand même moins encombrant qu'un martyr vivant... Mais ils vont le relâcher... Certains de nos témoins reviennent sur leurs déclarations.

LISE

Pourquoi?

ROUSSEL

Ils ont peur!

LISE, *ricanant.*

Eux aussi?

ROUSSEL

Aujourd'hui seule la guerre peut sauver le pays.

OLIVIER

La guerre!

ROUSSEL

Sans la guerre, c'est la révolution! En Russie, pour Durand, pas une manifestation n'a été autorisée. L'ordre règne là-bas. Et en cas de guerre, jamais le tsar ne permettrait à la révolution de s'installer en France.

LISE, *à Olivier.*

Si la guerre éclate, que deviens-tu?

OLIVIER

Lieutenant de cavalerie; je rejoins le premier jour.

LISE, *à Roussel.*

Et vous?

ROUSSEL, *piteux.*

Sergent d'infanterie au 129e de ligne. Je rejoins aussi le premier jour.

LISE

Toute cette histoire, pendant la chasse!

OLIVIER, *à Roussel.*

Et même s'il est innocent, il a perdu : qu'il paie! Quand Luc est mort, les Bourses du monde entier ont-elles fermé en signe de protestation?

LISE

Mais vous n'allez pas vous faire tuer tous les deux à la guerre?

OLIVIER

Lise, c'est un grand réconfort de se savoir entre les mains du Seigneur.

ROUSSEL

Oui, mais ils vont le relâcher! Et il deviendra le patron du port!

L'estrade. Arrive Julia.

JULIA

Camarades! le citoyen Jean Jaurès et le citoyen Anatole France de l'Académie française sont en ce moment à l'Élysée, où ils ne demandent pas, mais exigent la grâce de Jules Durand. *(Acclamations.)* Non pas la grâce pour l'envoyer au bagne à perpétuité, mais la liberté immédiate. Car il n'y a pas d'autorité de la chose jugée, quand sur de faux témoignages, un innocent est condamné...

LE DÉLÉGUÉ

Nous ne connaissons plus qu'un seul mot d'ordre : Liberté pour Durand ou grève générale!

Acclamations. Tambour.
Apparaît, sous l'estrade, la cellule de Durand, sans lumière.

JULES

De la lumière! De la lumière!

LE GARDIEN

La lumière, c'est pour les condamnés à mort. Toi, t'es gracié à sept ans de cellule. Maintenant tu seras sept ans dans le noir. Dis, casse-pieds, t'as compris?

JULES

De la lumière.

LE GARDIEN

Je ne peux plus te couper le cou, mais si je t'entends encore, je te coupe la soupe.

JULES

Comme moi, ils t'ont condamné à mort, parce que tu étais innocent et ils se servent de toi pour condamner d'autres innocents. Jésus, les méchants se cachent derrière toi. Mais je les débusquerai. Je briserai les murs de toutes les prisons avec ma colère.

> *Il tape contre les murs. Tambours.*

LE GARDIEN

C'est fini, tout ce boucan, ou je te passe la camisole de force.

JULES

De la lumière.

LE GARDIEN

Eh bien, tu vas y passer sous la douche! Et après je te ligote.

> *Il entre dans la cellule. Des cris. Le noir. On revient à l'estrade.*

LE DÉLÉGUÉ

Le jugement criminel est cassé. Durand va être libéré aujourd'hui! *(Acclamations.)* Sa mère, son père et son admirable compagne viennent de prendre le train de 10 h 10 pour aller chercher

notre martyr à la prison Bonne-Nouvelle où il
aura vécu dans la cellule des condamnés à mort,
puis dans la cellule des bagnards. Ce soir, au
terme de notre lutte triomphante, Jules Durand
sera parmi nous. *(Acclamations.)* Un pour tous,
disait Durand. Tous pour un, avons-nous répondu!
Tous, ce soir, devant la gare, avec des drapeaux
et des fleurs, pour accueillir le plus pur d'entre
nous, avec sa famille enfin heureuse!

> *Devant la cellule noire. Le Père, la Mère, Julia,
> le Directeur de l'Asile d'aliénés de Quatre-Mares,
> le Directeur de la prison et le Gardien, mainte-
> nant mou comme une larve.*
> *La Mère a des paquets et un chapeau melon
> pour Jules. Elle le laisse tomber, Julia l'aide à le
> ramasser et la Mère le reprend, car elle veut tout
> porter elle-même.*
> *Tambour sourd et lent.*

LA MÈRE, *au Directeur de la prison.*

Je le disais à tout le monde que mon fils était
innocent. Les voisins faisaient semblant de ne pas
me croire.

LE PÈRE

Et les témoins qui se rétractent! Ces cochons qui
reconnaissent avoir menti.

LA MÈRE

Moi qui respectais la justice parce que je croyais
qu'elle ne pouvait pas se tromper.

LE DOCTEUR

Votre fils vous le dira et, hélas, vous le répétera

sans arrêt : Jésus a été mis en croix à la suite d'un jugement très régulier...

LE DIRECTEUR

Docteur, la vue de sa famille provoquera-t-elle un choc heureux?

LA MÈRE

« Docteur? » Notre fils n'est pas malade?

LE DIRECTEUR

Le Docteur est le Directeur de l'Asile de Quatre-Mares.

LE PÈRE

La maison des fous?

LE DOCTEUR

Votre fils n'a pas très bien supporté l'isolement cellulaire ni l'incertitude — ou l'injustice —, de sa condamnation.

JULIA

Que voulez-vous dire?

LA MÈRE *se baisse*
pour ramasser le chapeau melon.
Le Gardien prévient son geste.

Merci, monsieur, vous êtes aimable! J'ai apporté son costume neuf et j'ai acheté un chapeau...

LE PÈRE

Les formalités vont être longues? Parce qu'avant de prendre le train de 3 h 35, on voudrait aller déjeuner, tous les quatre, au restaurant où on allait pendant le procès, et y retourner la tête haute.

LA MÈRE

Oh! non! un autre! L'odeur de sa cuisine me tourne encore l'estomac.

JULIA

Docteur...

LE DIRECTEUR, *au Gardien*.

Ouvrez et allumez.

LE GARDIEN

A vos ordres, monsieur le Directeur.

La cellule s'éclaire.

LE PÈRE

Jules!

LA MÈRE, *tombant à genoux*.

Merci, mon Dieu, et à la Vierge Marie et à Notre-Dame des Flots.

JULES

Non! Mon père m'a abandonné!

LE PÈRE

Moi? Je t'ai abandonné, mon gars?!

LA MÈRE

Mon garçon?

JULES, *se cachant dans un coin de la cellule.*

Qu'on éteigne la lumière, personne ne m'arrachera au noir du charbon.

LE DOCTEUR, *au Père.*

Pour supporter dans sa solitude l'idée de son exécution, il s'est comparé à Jésus-Christ et il s'est enfermé dans cette idée.

LE PÈRE

Comment?

LE DOCTEUR

Il s'identifie à Jésus.

LA MÈRE

Notre fils s'est converti?

LE DOCTEUR

Pas exactement.

LA MÈRE

Voilà ton costume neuf, mon garçon, et un chapeau...

JULES

Je ne sortirai de ce tombeau qu'entouré de tous mes frères...

JULIA

Jules! Ils t'attendent tous sur le quai de la gare...

LE DIRECTEUR, *au Père.*

Votre fils a des crises de violence, dangereuses pour son entourage...

LA MÈRE

Et alors?

LE PÈRE, *attrapant le Directeur par le col.*

La terre entière sait que notre fils est innocent.

LE DOCTEUR

Je l'ai toujours su. J'étais le Président du jury
qui a condamné votre fils.

JULIA

Vous, le Docteur de l'Asile?

LE DOCTEUR

C'est imprévu, mais c'est ainsi. Et j'ai été le seul
à voter l'acquittement.

JULES

Éteignez la lumière. N'éclairez pas la souffrance,
elle est absurde!

JULIA

Et les autres jurés ont vraiment cru qu'il était
coupable?

LE DOCTEUR

Pour se rassurer, parce qu'ils avaient peur, peur
pour leurs récoltes, peur pour leurs économies...

LE PÈRE

Qu'on me donne l'adresse de tous les autres jurés.

LA MÈRE

Papa, ne te mets pas en colère. J'ai déjà tant
de chagrin...

LE PÈRE

On aurait le droit de rendre fou un innocent et
de continuer à vivre tranquille?

JULIA

Et les juges? que sont devenus les juges?

LA MÈRE

Que Dieu leur pardonne!

LE PÈRE

Mais en attendant, ils continuent de juger?

LE DOCTEUR

C'est leur métier.

LE PÈRE

Alors, la justice, c'est aussi le pays des cochons!

JULIA

Vous allez l'emmener à l'asile d'aliénés? En le
soignant, un espoir est-il permis?

LE DOCTEUR

Certes, un miracle...

LA MÈRE, *violente*.

Il va falloir encore un miracle pour que je
retrouve mon garçon?

LE DIRECTEUR, *au Père*.

Vous signerez pour lui la levée d'écrou. Le gouvernement de la République prend en charge
tous les frais de son hospitalisation.

LA MÈRE

Et il aura servi à quoi, tout notre malheur?

JULIA

Monsieur le Directeur, les hommes qui ont perdu la raison peuvent-ils se marier?

LE DOCTEUR

Non, mademoiselle. Un aliéné ne peut pas se marier.

Julia s'effondre.

JULES

Sauvez tous les hommes tout de suite ou je casse tout, car la misère des hommes ne peut plus attendre.

Le Gardien maintient Jules. La Mère pleure dans les bras du Père.

JULIA

Jules, et notre petit enfant qui ne te connaîtra pas...

JULES

Et la misère des hommes, qu'en font-ils ceux qui vivent heureux, de la misère des hommes?

La lumière revient sur l'estrade. Tambour lent et funèbre.

LE DÉLÉGUÉ

Citoyens, notre camarade Durand n'a pas pu prendre le train. Nous ne reverrons plus jamais notre camarade Jules Durand.

Les drapeaux rouges s'inclinent. Le bruit des roulements de tambour diminue et la lumière s'éteint lentement.

FIN

Luchon-Garches-Paris-Zurich.
Août 1957-avril 1959.

NOTES

J'avais dix ans et mes parents habitaient Le Havre devant la prison, quand éclata l'affaire Durand. Ce fut d'abord un modeste entrefilet de dix lignes dans les journaux locaux le 10 septembre 1910, intitulé Sanglante chasse au renard. Une rixe, entre ivrognes, avait éclaté laissant, sur le pavé du quai, un mort : un ouvrier qui continuait de travailler pendant la grève des charbonniers, assommé par des grévistes. Quelques jours plus tard, à la stupéfaction de tous, on inculpait le secrétaire du syndicat, Jules Durand. A la maison, on suivit l'instruction et les débats de la Cour d'assises. Mon père et ses amis étaient convaincus, non seulement de l'innocence de Jules Durand, mais de la machination. Et je crois que toute ma vie d'homme fut marquée par cette terrible « erreur » judiciaire, vécue dans mon enfance. Je ne pouvais pas l'oublier. Cette expérience que je fis, de la méchanceté et de la bonté des hommes, me servit toujours, presque inconsciemment, d'étalon pour mesurer tous les événements dont je devais être le témoin dans la suite de ma vie, et je m'étais promis de raconter un jour cette affaire. Aux approches de la fin de ma vie, j'ai tenu parole.

Car Boulevard Durand n'est pas une comédie, ni un drame. C'est une chronique qui n'est pas romancée. J'ai suivi, avec les documents aujourd'hui retrouvés, ma mémoire d'enfant. J'ai connu plusieurs personnages de cette histoire, et leurs noms furent mêlés à toute ma jeunesse.

*En 1908, âgé de trente ans, mon père venait d'être élu
conseiller municipal de la ville, avec comme colistier,
un jeune avocat, René Coty, qui devait être le défenseur
de Jules Durand. Un des adjoints au maire, maître Jennequin, fut le défenseur des frères Boyer. Mon père qui
fut réélu en 1912 (il devait l'être jusqu'en 1940) parlait
à la maison du chef de la Sûreté, qu'il estimait. Le président de la Ligue des Droits de l'Homme et du Citoyen,
qui déposa en faveur de Durand, devint un de mes
amis vers la fin de la Grande Guerre. Et j'ai connu,
plus tard, celui que je nomme le Délégué.*

*J'ai changé certains noms. Certes, pour être moins
célèbre que l'affaire Dreyfus, l'affaire Durand n'en est
pas moins entrée dans l'Histoire, et tous ses personnages appartiennent à l'Histoire. Néanmoins, j'ai
changé le nom de ceux dont la Cour de cassation dans
son arrêt du 15 juin 1918 déclare « qu'on ne saurait
faire état de leurs témoignages dont l'autorité a été gra-
vement atteinte ». Peut-être ont-ils des descendants
vivants. J'ai également changé le nom de la victime du
quai d'Orléans, car « les trois petites filles » vivent
encore, mais celle que j'appelle Mme Capron signa la
pétition pour la grâce de Jules Durand et écrivit ensuite,
dans une lettre au journal de Jean Jaurès, L'Humanité :* Cette exécution eût mis une rancune ineffaçable
entre le milieu ouvrier auquel j'appartiens, et mes
trois pauvres petites filles... Il faut démontrer s'il y
a eu des faux témoignages volontaires au risque de
me faire tremper moi-même dans ce crime... Si
aujourd'hui je manque de pain, c'est que je n'ai pas
voulu avoir d'obligation directe à aucun des personnages mêlés ou compromis dans le drame judiciaire.
Je ne sais pas si jusqu'ici j'ai fait acte de socialiste
comme le dit votre journal, mais je voudrais qu'on
sache que je fais mon devoir dans une situation vraiment tragique.

*Afin de montrer avec quelle volonté j'ai essayé de
suivre mon sujet sans aucune sorte de recherches soi-*

*disant littéraires ou théâtrales, je recopie ici quelques
lettres que Jules Durand adressa après son arrestation,
de la prison de la rue Lesueur, à ses parents et à Julia,
et les lettres qui suivirent sa condamnation à la guil-
lotine.*

23 septembre 1910.

Chère Julia,

Je me mets à votre place : il est douloureux pour
vous de me voir en prison, mais sachez que moi je suis
certain à l'avance que je serai en liberté, et que je
pourrai vous embrasser tous de tout mon cœur...

Le 29 septembre 1910.

Chère Julia.

Soyez certains que ma santé est très bonne et que
mon innocence sera d'autant plus éclatante qu'elle
aura été longue à se faire jour.

Tu me diras si la pauvre petite Bichette a eu un
bon sort. Qu'est-ce que tu as fait de Coco? Tu sais, si
tu l'as gardé, il y a un grenier dans la nouvelle maison, mais si j'ai de nouveaux pigeons, ne t'inquiète
plus, ce sera des domestiques et non des voyageurs.
Je n'ai plus, il y a déjà longtemps, envie de concourir.
J'ai assez d'un premier prix.

Enfin j'espère que bientôt je viendrai vous voir,
car il y aura bien une solution, un jour ou l'autre.

1er octobre 1910.

Chère Julia,

Je te dirai que j'ai écrit à maître Coty le priant de
venir me voir. Il y a longtemps que je n'ai retourné
à l'instruction. Comme je vais voir le père et la mère
cet après-midi, je ne vois plus grand-chose à te dire
pour le moment; tu me dis que tu vas travailler. Si tu

peux t'en dispenser, je serai très content. Je ne tiens nullement à ce que tu te fatigues! S'il le faut, travaille chez nous à la couture, pas autre chose! tu as besoin de repos, ce n'est pas en aussi peu de temps que j'ai quitté la maison que tu sois déjà obligée de travailler, tu as besoin de repos. Ne crains rien, je rattraperai le temps perdu; tu sais que l'hiver, on gagne plus d'argent dans notre métier.

Lundi 10 octobre.

. . . .

Pour le moment je te dirai que je m'ennuie moins, je peux causer avec les camarades Boyer, qui sont comme moi, victimes de méchanceté, enfin ils sont comme moi et savent très bien que ceux qui nous accusent sont d'une conduite déplorable, car nous autres, comme chefs d'équipe, nous avons pu les juger, surtout au travail.

Je tiens à te dire que j'ai écrit à Maître Coty pour lui donner quelques renseignements. J'espère toujours au plus vite l'heureux jour qui fera voir aux yeux du monde conscient que nous qui aimons à vivre dans un milieu d'honnêteté, sommes aussi victimes de dépositions fausses que la justice sera bientôt obligée de reconnaître.

Celui qui est conscient souffre. Le Christ a bien souffert aussi pour apporter les doctrines « Aimez-vous les uns les autres ».

. . . .

20 octobre 1910.

. . . .

Une petite chose à te dire! Monsieur le Chef m'a dit que vous aviez demandé pour moi l'autorisation d'une voiture.

Je m'y refuse absolument. Je suis un homme qui subit en ce moment une injustice, car j'ose dire à haute voix que tout ce dont on m'accuse n'est que mensonge, ma conscience est propre, elle le restera toute sa vie.

Eh bien, je partirai la tête haute et reviendrai de même, mais pas de voiture. J'accepte la discipline qui est de même pour tous. Nous autres ouvriers, qui avons bien du mal déjà à gagner notre vie, ne gaspillons pas l'argent, gardons-le précieusement, car la vie est bien triste pour celui qui à l'heure actuelle n'a pour vivre que sa conscience et son honnêteté. Je tiens donc à ce que cet argent reste dans vos mains. Sachez qu'il y a assez d'argent de perdu dans ces deux mois de prison que nous subissons injustement, sans faire encore des frais.

. . . .

26 octobre 1910.

Enfin, le Christ a souffert, on peut le croire; surtout dans son temps, si jamais il eût parlé de syndicat, je suis persuadé qu'on n'aurait pas mis longtemps à prendre la décision de le crucifier.

C'est plutôt sur la jeunesse qu'il faut compter, il faut bien du temps et du temps pour arriver à ce que le monde arrive à comprendre que nous ne sommes sur terre que pour un passage et que c'est pour cela que les gens devraient s'aimer beaucoup mieux.

. . . .

(A SON PÈRE.)

20 octobre.

Prends courage, la délivrance de ton fils qui t'aime approche. Tu as à tes côtés des personnes qui t'aiment, ton fils reconnaît parfaitement bien que c'est sa faute d'avoir été la cause de ton renvoi, mais n'aurais-tu jamais supposé qu'après tant de services rendus au directeur que tu aurais subi les conséquences?

Tant mieux, tiens, tu as besoin de te reposer, et
crie en même temps que moi « Vive le syndicat! ».

. . . .

16 novembre 1910.

. . . .

Nos accusateurs viennent de me faire conduire
menottes aux mains, mais qu'ils prennent garde, car
la Cour d'assises s'apercevra bien que ce n'est que
mensonges et que tout n'est que parti pris contre le
syndicat.

. . . .

28 novembre 1910
(après la condamnation à mort).

Chers Parents,

Après un abattement de quelques jours, la force me
revient, car l'innocence est chez moi. Mes accusateurs
ont triomphé, mais mon avocat Coty tient dans ses
mains et à sa disposition tout ce qui peut démontrer
que je suis victime de fausses accusations... j'ai certainement espoir de voir venir à ma place les menteurs
de profession, et la Justice n'a pas le droit de me
condamner, je le crie à haute voix; c'est une erreur, je
le veux bien, mais des hommes, devant une pareille
erreur, sont responsables; ils ont montré trop peu
d'attention au sujet de savoir si réellement ce que mes
accusateurs disaient était vrai ou faux.

. . . .

Ce n'est pas du parti pris qu'il faut dans un jury,
c'est une conscience.

Ma condamnation est arbitraire.

. . . .

C'est un parti pris contre une cause syndicaliste, et cependant les patrons ont le droit d'appartenir à un syndicat! Pourquoi, nous, ouvriers, n'aurions-nous pas le droit de nous syndiquer?

Je vais écrire à mon défenseur, c'est bien embêtant car toutes nos économies vont se trouver mangées, enfin il y aura bien des personnes de cœur qui connaissent notre situation et savent que je ne suis victime que de formidables mensonges. Ayons du courage et ne manquons pas d'énergie; surtout, vous savez tous mon innocence, elle est prouvée par les frères Boyer, elle sera pour moi.

Bonjour, chère Julia, reste forte, on te rendra à ton Jules; c'est une affaire de temps, la victoire n'en sera que plus belle, mais je t'assure que j'ai reçu un sale coup; va, je reviendrai.

Bonjour à tous mes amis, à ta mère, à mon très cher père qui fut bien dupe l'autre jour et la mère aussi; unissez-vous et restez tous à vous aimer. Bonjour Julia, car c'est à toi que ma pensée va souvent; oui, c'est malheureux car en ce moment, je devrais être en liberté...

Lundi 5 décembre 1910.

Mes très chers Parents,

De bien loin, je vous écris, et combien mon cœur se trouve mal à l'aise de vous dire que votre fils vient de vous être retiré au moment, cependant, où sur vos vieux jours, je m'étais promis de vous être toujours le plus dévoué possible. Les hommes ne sont pas toujours justes, et cependant ils ne le font pas toujours exprès. Enfin!

Combien Auguste*** [1] doit être heureux de la sentence qui a été prononcée...

Enfin, les deux camarades Boyer sont acquittés,

1. Lévêque *dans la chronique*.

deux innocents de moins à être punis, il y a bien assez de moi d'être victime de pareils mensonges.

Soyez certains, chers parents, que je ne suis pas un criminel; plus tard vous saurez toute la vérité, car certainement elle éclatera, mais hélas! il sera trop tard.

Maître Coty, j'espère, viendra me voir.

Père, je me mets à ta place, mais enfin prends cette forte résolution parce que tu sauras au moins que toujours Jules, ton fils, a été *un fidèle fils*, et loin de ma pensée que j'aurais fini ma vie ainsi. Pourtant, que peut-on me reprocher? Rien! rien! *Jamais je n'ai fait voter la mort de**** [1], *mais le mot supprimer a été employé, qu'on examine comment!* Moi, cela ne me regarde pas, mais je sais que je suis *un innocent, oui, innocent, pauvre fils qui vous aime tant.*

Embrassez pour le moment ma chère Julia que certainement je ne reverrai jamais, mais je ne croirai jamais que des hommes aussi malhonnêtes pourront triompher...

Comme le dit ma chronique, la raison de Jules Durand ne supporta pas l'injustice. On lit dans l'arrêt du 28 février 1918, de la Cour de cassation :
qu'il appert d'un certificat délivré le 26 janvier 1918 par le directeur médecin en chef de l'asile d'aliénés de Quatre-Mares, que Durand est dans un état de stupeur chronique avec crises d'impulsivités violentes par intervalles, qu'aucune amélioration ne s'est manifestée dans son état et que l'affection dont il est atteint doit être considérée comme n'étant pas susceptible de guérison.

Le monde ouvrier, en France et à l'étranger, avait été secoué par l'affaire Durand et le 9 août 1912, la Cour de cassation avait annulé l'arrêt de la Cour de

1. Capron *dans la chronique.*

Rouen. *Mais l'innocence de Jules Durand n'était pas
encore officiellement reconnue. Et voici un document
que j'ai retrouvé dans les archives municipales, concer-
nant le père de Durand, qui avait tenté de se suicider
dans la gare de Rouen, le soir du verdict.*

Le Havre, le 24 octobre 1913.

*Monsieur Genestal,
Maire du Havre.*

Monsieur le Maire,

Nous vous proposons d'inaugurer le dimanche
2 novembre prochain un mausolée à la mémoire du
père de Jules Durand.

L'inscription suivante figurera sur le monument :

GUSTAVE DURAND, 58 ans.

LES CHAGRINS ET LA MISÈRE ÉPROUVÉS A LA SUITE DE
LA CONDAMNATION A MORT
DE SON FILS INNOCENT L'ONT MENÉ AU TOMBEAU.

Ce matin le Conservateur du Cimetière nous a
exprimé le désir d'être couvert par ses supérieurs pour
cette manifestation. Il nous demandait de supprimer
le mot « innocent ». Je me suis adressé à M. Jennequin son Chef immédiat, qui m'a déclaré ne rien
pouvoir décider sans votre autorisation.

Vous voudrez bien considérer, Monsieur le Maire,
qu'il n'y a rien de subversif dans le fait d'écrire, sur
la tombe du pauvre père Durand, quelques paroles de
vérité et nous comptons sur vous pour rassurer
M. Jennequin et M. le Conservateur du Cimetière.

Veuillez agréer, Monsieur le Maire, mon meilleur
respect.

Signé : G. DESCHEERDER.

Le Havre, 25 octobre 1913.

Monsieur,

En réponse à la lettre qui m'a été adressée par M. Descheerder, j'ai l'honneur de vous faire connaître que je ne vois pas d'inconvénient à ce que vous fassiez apposer sur le monument de M. Durand, l'inscription ci-après :

« Les chagrins et la misère éprouvés à la suite de la condamnation à mort de son fils " innocent " l'ont mené au tombeau. »

Veuillez...

J'ai également changé le nom de la Compagnie de Navigation. Elle existe toujours. Mais en cinquante ans, ses méthodes d'exploitation se sont beaucoup améliorées... Je pourrais même dire que c'est jusqu'au charbon qui a disparu des quais du Havre, devenu port pétrolier.

Enfin les personnages bourgeois, de la « Côte », sont imaginés. Mais pas imaginaires. J'ai voulu montrer à côté des difficultés ouvrières les difficultés patronales, et que la mort rôdait aussi autour des négociants qui savaient se sacrifier à l'idée qu'ils se faisaient de leur devoir. Derrière les noms de Buggenhart et de Siemens, on ne peut citer aucun nom véritable sinon presque tous les noms d'alors. Je n'en donnerai qu'une référence prise chez un poète qui depuis quarante ans s'est fait l'historiographe de la ville du Havre, Julien Guillemard. Voici quelques lignes, extraites de son livre Esprit du Havre et ses aspects depuis ses origines :

« *J'ai parlé d'un clan de la bourgeoisie à la fin du siècle dernier. Ce que l'on désigne partout sous l'appellation générale « la haute société », c'est-à-dire la grande bourgeoisie, formait au Havre une caste très fermée de descendants des grands armateurs et des gros négociants qui avaient misé avec bonheur sur la guerre de course, la traite des Noirs, la pêche à la baleine et le négoce d'importations à la mode du temps. C'étaient de grosses*

situations bien établies malgré les aléas de la spécu-
lation sur les cafés et poivres, les laines et cotons, etc.
De superbes propriétés qui étaient de véritables petits
châteaux au milieu d'un parc témoignaient la solidité
de la fortune reçue en hoirie et augmentée, formant le
si joli fond de toile qu'est le coteau dominant la ville
sur toute la longueur : « la Côte » qui va de Sainte-
Adresse à l'entrée de Graville.

« Une espèce de hautaine indifférence pour tout ce
qui n'approchait pas du clan par la fortune marquait
encore la plupart de ces nababs, dont certains sem-
blaient ignorer que sans parents fortunés ils n'auraient
pu être ce qu'ils étaient. Dans un roman sur Rouen,
Pierre-René Wolf nomma un clan similaire d'indus-
triels le Sac d'or. Au Havre comme à Rouen, et sans
doute comme partout ailleurs, tout se ramenait à cela :
l'or. C'est la raison pour laquelle la caste s'était aug-
mentée, très prudemment et avec des nuances, de négo-
ciants allemands, anglais et suisses, venus au Havre
avec leur appétit du gain, leur habileté et leur chance;
des Alsaciens aussi, que la guerre de 1870 avait
contraints à se refaire une position commerciale ailleurs.
Il se trouvait parmi eux des hommes de premier plan;
il en était d'autres. Le parti important des protestants
observait encore un certain sectarisme confessionnel
vis-à-vis de celui des catholiques. Mais tous ces grands
brasseurs d'affaires, orgueilleux de leur maison et assez
souvent durs pour leur personnel, observaient dans les
rapports commerciaux une rigidité exemplaire qui fai-
sait la force de leurs marchés du café, du coton, de la
laine, etc., et la belle réputation mondiale de la place.
Lorsqu'un armateur, un négociant ou un banquier en
difficulté ne pouvait espérer un renflouement familial
et discret, il se suicidait, parfois dans le bureau même
où il avait tant travaillé. J'ai des noms sur les lèvres. »

Et un peu plus loin :

« Le 23 août 1910, de la fenêtre d'un appartement
de la rue de Normandie, je vis dans l'ouest un tout
petit nuage doré par le soleil qui filait rapidement dans
le ciel vers Trouville; c'était le premier aéroplane pas-

*sant sur l'estuaire. Mon émotion fut grande, comme
celle de tous ceux qui le virent. Celle de deux enfants
arrêtés sous ma fenêtre le fut plus encore peut-être;
ne sachant comment traduire leur enthousiasme débor-
dant, ils entonnèrent* La Marseillaise *à pleine voix, et
puis ils hurlèrent : Vive Hubert Latham!* »

*Quand, comment, par qui cette pièce sera-t-elle jouée;
dans quels pays, et devant quels publics? Je n'en sais
rien encore. Mais pour la première fois dans ma vie
d'écrivain, j'ai le sentiment d'avoir écrit ce que j'avais
exactement envie d'écrire, et c'est l'esprit apaisé que je
termine ce livre.*

*On me dira que le héros de cette histoire ne montre
pas une intelligence exceptionnelle. Il n'en est à mes
yeux que plus grand. C'est sa bonté profonde qui me
touche. Qu'elle donne à l'anecdote un côté « image
d'Épinal » ne me trouble pas; et je n'ai pas cherché
à éviter cet écueil. Dans un combat, il n'y a pas de
nuances.*

*On peut se demander à quoi a servi ce combat; à
quoi ont servi les souffrances de Jules Durand. La souffrance m'apparaît toujours dans une atmosphère, dans
une coloration d'absurdité. Avec ou sans le martyre de
Jules Durand, le charbon n'en aurait pas moins disparu
des quais du port du Havre. Mais à quels scandales
peuvent mener certains égoïsmes, comment le mensonge
conduit au crime, combien les complaisances sont coupables, voilà ce que nous rappelle, me semble-t-il, la
vieille affaire Jules Durand, et aussi qu'une seule atti-
tude est digne d'un homme, devant la vérité : celle
d'ouvrir les yeux et de dire cette vérité.*

2 FÉVRIER 1960.

*Aujourd'hui, dimanche 30 septembre 1961, rentré de
Tourcoing, Le Havre et Rouen, je sais maintenant par
qui cette pièce fut jouée pour la première fois et devant
quels publics. Et après quelles aventures que je raconterai un jour très prochain avec minutie, car elles sont*

enseignantes — et drôles lorsqu'on veut rire à tout prix.

Le livre paru, la corvée du service de presse terminée, je ne m'attendais pas à un grand remue-ménage : une pièce n'intéresse pas les critiques littéraires et les critiques dramatiques attendent la représentation. Or, voici que, dans les journaux de « droite » et de « gauche », de longues chroniques étaient consacrées à Boulevard Durand, et je recevais des lettres vraiment inattendues. Pour donner le ton de ce courrier, je me permettrai d'en citer une, elle est de M. le professeur Robert Debré, la voici :

2 juin 1960.

Monsieur,

Sans vous connaître, je me permets de vous écrire. Pendant ma jeunesse lointaine où j'étais de ceux que Charles Péguy entraînait, j'ai entendu parler de Durand, de son procès, de son innocence. On ne peut laisser s'effacer de pareils souvenirs et je les ai gardés en moi! Voici que votre œuvre évoque ce drame. Je ne résiste donc point à vous dire mon estime et mon admiration pour le choix du sujet et le talent — si grand — de l'auteur.

ROBERT DEBRÉ.

Par déférence, j'avais fait remettre un exemplaire de Boulevard Durand *à M. le président de la République. Je reçus par retour une lettre de son secrétariat particulier, accusant réception et m'annonçant que le Général me remercierait lui-même plus tard.*

J'admirais à la fois la politesse de l'Élysée et l'ordre du secrétariat. Mais le Général partait pour les États-Unis, puis l'Angleterre. Il revint; et les journaux nous apprirent qu'il allait enfin se reposer dimanche, lundi et mardi à Colombey-les-Deux-Églises. Le mercredi, dans le courrier, il y avait une enveloppe à mon adresse, manuscrite : M. Armand Salacrou, de l'Académie Gon-

court, etc., Paris, XVI, *et je crus reconnaître l'écriture
de mon vieil ami André Billy. Je regarde le timbre de
la poste. La lettre ne venait pas de Barbizon, mais de
Colombey-les-Deux-Églises. J'ouvre et je trouve une
longue lettre manuscrite, stupéfait par cet homme d'État
qui se repose en lisant le livre d'un écrivain qu'il ne
connaît pas, qui n'est pas un écrivain officiel, mais dont
il veut qu'il sache, de sa main, qu'il a lu son livre.*

*La même semaine, je recevais une autre lettre d'une
tout autre origine, mais dont on comprendra qu'elle
devait également me bouleverser. La voici :*

UNION DES SYNDICATS OUVRIERS
DU HAVRE ET DE LA RÉGION
Cercle Franklin.
Le Havre.

A Monsieur Armand Salacrou.

Monsieur,

Au cours de sa dernière séance, la Commission exé-
cutive de l'Union des Syndicats Ouvriers du Havre et
de la Région-C. G. T. a longuement discuté des
mérites de votre livre, *Boulevard Durand*. Si quelques
réserves ont pu être faites ici et là — il y en aura
toujours — l'unanimité de ses membres qui avaient
lu votre ouvrage avec l'intérêt le plus vif, se sont plu
à louer la vérité et l'honnêteté de votre livre.

La décision a été prise de vous adresser cette lettre
en gage d'estime et de reconnaissance pour une œuvre
qui porte à la connaissance du grand public une
affaire qui, depuis cinquante ans, a pris valeur de
symbole dans la lutte de la classe ouvrière pour
défendre son droit à la vie.

Il serait évidemment souhaitable que cette pièce
quitte le livre pour monter sur la scène où elle obtien-
drait le succès qu'elle mérite.

Nous qui sommes successeurs de Jules Durand et
de ses camarades et qui n'avons pas cessé chaque
année d'évoquer leur souvenir, nous nous apprêtons

à célébrer comme il se doit, en cette année 1960, le cinquantième anniversaire de cette affaire.

Votre livre vient donc à point nommé. Il ne pouvait y avoir de meilleur témoignage de la part d'un grand Havrais écrivain et honnête homme.

Veuillez trouver ci-joint le communiqué que nous faisons paraître dans la presse.

Avec le témoignage de notre estime.

Veuillez agréer, Monsieur, l'expression de nos sentiments les meilleurs.

Pour l'Union des Syndicats C. G. T.
Le Secrétaire Général :

L. JOCHEM.

Je crois que si j'avais reçu une lettre différente des « successeurs de Jules Durand », je crois que si ceux-ci m'avaient convaincu que j'avais mal rendu « l'affaire Durand » et que dans mon œuvre les ouvriers du Havre n'avaient pas reconnu l'existence de leurs pères, je crois sincèrement que j'aurais arrêté mes démarches pour faire représenter Boulevard Durand.

Mais, la route me semblait maintenant bien dégagée : avec la lettre du Général et la lettre des successeurs de Jules Durand... eh bien, eh bien ici commence l'histoire que je raconterai un jour très prochain.

Si les chefs de troupes et certains comédiens se défilaient, je recevais toujours des lettres. J'en reproduirai encore une. On comprendra vite pourquoi.

Pendant des années, j'avais cherché des documents d'époque, essayé de rejoindre les contemporains. Je demandais — et je faisais demander — l'enfant de Julia et de Jules Durand est-il né? Fut-ce un garçon? une fille? qu'est-il ou qu'est-elle devenue? Personne ne pouvait me renseigner.

D'où la réplique :

JULIA : Son fils! son fils! Ce sera peut-être une fille!

Un jour, alors que je passais quelques semaines en
Suisse, à Zurich, une lettre me fut réexpédiée de Paris
où elle m'était adressée et qui venait de la rue de Zurich,
du Havre.
La voici :

Le 10 janvier 1961.

Monsieur,

D'abord, je devrais me présenter : je suis la fille de
M. Jules Durand. Ma pauvre mère Julia que j'ai vue
souvent pleurer, ça, monsieur, vous n'en doutez pas
que sa vie et la mienne ont été brisées. Dans ma
jeunesse, je n'ai vu que peine et larmes et je n'enten-
dais que des bribes de conversations.

C'est une charmante voisine qui m'avait appris que
j'étais la fille de Jules Durand. Le condamné à mort,
disait-elle.

Plus tard, c'est ma grand-mère qui m'a tout raconté
quand je suis devenue jeune fille.

Je suis née le 14 mars 1911, rue Regnard, nº 14.
C'est là que mon père est venu me voir mais, hélas, il
commençait à devenir fou.

Bien sûr, monsieur, vous en aurez fait un beau
roman et malgré que je n'aie pas connu mon père,
cela me touche et me peine beaucoup. Quand je
pense à ce qu'il a souffert.

Croyez, monsieur, que ce n'est ni par intérêt ni par
vantardise que je vous adresse cette lettre, mais seulement pour que vous sachiez que l'enfant qui devait
naître dans votre roman, c'est moi. Fille de Julia Ca-
rouge et de Jules Durand, bien entendu ma mère m'a
appelée Juliette en mémoire de mon père. J'ai le
livret de famille de ma mère.

Recevez, monsieur, mes plus profonds respects.

On lisait mon livre, surtout au Havre, à Rouen. Une
des filles de celui que j'appelle Capron vint me trouver.
Je rencontrai aussi un homme jeune : il m'apprenait

qu'il était le fils du gendarme qui accompagnait Jules Durand pendant le procès. Et ce gendarme avait été si ému par Jules Durand, le procès et la condamnation qu'il en parlait vingt ans plus tard à son fils. Enfin, pendant les premières représentations, on me présenta au Havre une très vieille dame à cheveux blancs. Elle avait connu Jules Durand dont elle avait été une des voisines. Dans ma pièce, j'ai contracté la fin. En fait, Jules Durand à sa sortie de prison vint au Havre et fut reçu à la gare par tous les syndicats. Il existe encore des photographies de l'arrivée de Jules Durand, avec son chapeau melon, entre son père et sa mère. Mais dès le lendemain, il jeta le mobilier par la fenêtre. Ses crises devinrent de plus en plus fréquentes et c'est alors qu'on dut l'emmener à l'hospice de Quatre-Mares.

Mais ce que m'apprenait la vieille dame à cheveux blancs, c'est qu'au cours d'une de ses crises, « Jules Durand avait, de ses mains, étouffé toutes ses tourterelles qu'il aimait tant ».

Je ne tiens pas encore pour définitif le texte de Boulevard Durand. En effet, au cours des répétitions, je modifie mon texte. Je coupe, je change, j'essaie d'alléger. A l'avant-scène se révèlent tout à coup des négligences; on découvre des raccourcis. Or, André Reybaz répétait ma pièce à Tourcoing tandis que je vivais à Luchon. Je n'ai assisté qu'aux dernières répétitions, les acteurs « filaient » déjà le texte et il était bien tard pour modifier dans chaque réplique des paroles isolées. Néanmoins, j'ai pu grouper en une seule scène (l'actuelle scène XII) les anciennes scènes XII et XIII. J'aurais voulu couper davantage, mais avec un respect pour mon texte qui me touchait, mais un respect redoutable, Reybaz s'opposait à presque toutes les coupures que je proposais.

S'il reprend un jour cette pièce à Paris, j'espère alors au cours des nouvelles répétitions faire ce travail indispensable et qui ne peut être fait qu'au moment où le texte sort du livre pour s'animer dans les lumières, au

*moment où l'auteur n'écoute plus sa voix comme dans
un rêve, mais l'entend rebondir entre des personnages
qui tout à coup s'agitent devant lui, avec leur surpre-
nante présence.*

*Enfin, mêlé au public, j'ai senti une surprise, ou un
malaise, dans l'enchaînement du prologue et de la
scène I. Ce prologue noir et ouvrier débouche sans
préparation sur une fête mondaine 1910. Ce malaise
est-il dû au décor? En effet, André Reybaz a dû sur-
monter des difficultés que ne connaîtrait pas un directeur parisien. Je ne parle pas seulement de la nécessité
de voyager de ville en ville avec une troupe de plus de
trente acteurs, sans compter les machinistes et les élec-
triciens, mais aussi de la nécessité de combiner un décor
qui puisse de vingt-quatre heures en vingt-quatre heures
s'adapter à un opéra, le lendemain à une toute petite
scène, le surlendemain à une salle de cinéma. Et un
décor dont je voulais que les transformations soient
immédiates, pour ne pas ralentir l'action. Le décor de
la garden-party 1910 fut-il trop schématique? Ou bien
l'enchaînement dramatique est-il médiocre? J'ai demandé à Reybaz d'essayer dans certaines villes une
interversion de scènes : du prologue, enchaîner sur la
scène d'ivresse des ouvriers charbonniers (scène II)
pour arriver à la garden-party antialcoolique (scène I).
Je n'ai pas encore assisté avec le public à ce nouvel
enchaînement. Je prendrai ma décision avec le public.*

SEPTEMBRE 1961.

*Après une « couturière » à Tourcoing, on joua donc
la première au Havre dans une salle de cinéma, puisque
le théâtre du Havre bombardé en 1944 n'a pas encore
été reconstruit, salle plus large que profonde, assez mal
commode pour montrer des images en relief et non plus
aplaties sur un écran.*

*La pièce était jouée en présence de la fille de Jules
Durand qui, en larmes, fit ainsi la connaissance de son
père, en présence de l'avocat de Jules Durand, M. René*

Coty, ancien président de la République. Le fils du pasteur de 1910, mon très cher ami Pierre Bost, était là aussi avec quelques-uns de nos camarades du lycée apparentés aux anciennes familles de la Côte.

Le lendemain, toujours dans la salle de cinéma de l'A. B. C., ce fut la « générale ».

En 1953, j'avais écrit une chronique recueillie dans Les idées de la nuit, *où je regrettais que les Centres dramatiques de province et les auteurs français vivants eussent l'air de s'ignorer, et je demandais : « Est-il souhaitable que cette décentralisation devienne de la désolidarisation? » C'est ainsi que, me prenant au mot, André Reybaz m'avait demandé le droit de jouer* Boulevard Durand. *Je dois dire que la critique a suivi. Le soir de la « générale », au Havre, dans cette salle de cinéma, nous retrouvions André Reybaz sans étonnement, et moi assez ahuri, toute la critique parisienne entourée non pas du Tout-Paris, mais d'un public payant. Selon mon habitude, je donnerai ici quelques extraits de la presse parisienne du lendemain :*

Pas plus que l'auteur de *Boulevard Durand*, Reybaz n'a redouté l'imagerie d'Épinal, mais cette imagerie, il a su la sauver de tous les poncifs, de toutes les platitudes du genre. Là, aussi, surgit un lyrisme venu de la vision intérieure, de la compréhension intime, soutenu par la volonté de trouver le contact avec le public, non par la facilité, la complaisance ou par la flatterie, mais par l'appel au cœur et à l'intelligence.

Un théâtre populaire a été longtemps un rêve. D'aucuns en contestent encore la possibilité. Il suffit d'avoir été mêlé au public havrais pour savoir en toute certitude que le rêve est maintenant une réalité. Malgré la vivacité des souvenirs, le boulevard Durand n'était peut-être pour beaucoup qu'une artère du Havre. Grâce à Salacrou et à Reybaz, ce nom évoquera maintenant la rencontre d'une œuvre et d'une foule enfin consciente de son histoire.

ANDRÉ ALTER.
(Témoignage chrétien.)

Loin de paraître simpliste, puérile ou démagogique, cette suite d'images d'Épinal et de discours violents fend le cœur.

Qui sait si les grandes épreuves sociales ne représentent pas, de nos jours, la matière théâtrale par excellence?

POIROT-DELPECH.
(Le Monde.)

Une grande œuvre moderne.

GUY LECLERC.
(L'Humanité.)

Une grande et belle soirée.

G. JOLY.
(L'Aurore.)

Le cœur de Salacrou? Il ne cesse de battre au fil de ces quatorze tableaux, amenant le dramaturge à renoncer à beaucoup d'art pour exalter beaucoup de vérité. Ce qui différencie *Boulevard Durand* d'un quelconque mélodrame naturaliste, c'est l'authenticité des faits. Il faut le redire et comprendre ainsi pourquoi Salacrou n'a pas hésité à estomper son propre style derrière l'ingénuité des lettres de Durand.

JEAN VIGNERON.
(La Croix.)

J'ai assisté, au Havre, à la création, par le Centre Dramatique du Nord, de ce *Boulevard Durand*, d'Armand Salacrou, autour duquel tournaient depuis longtemps, avec des pattes prudentes de chats qui se demandent s'ils ne vont pas se brûler, les plus illustres de nos metteurs en scène. Et je suis, au fond, ravi de leurs prudences, puisqu'elles ont permis au dernier-né de nos centres dramatiques, et à André Reybaz, qui le dirige et a mis l'œuvre en scène, de s'emparer d'une œuvre essentiellement populaire, simple et dure, menée jusqu'à son terme par la main sûre du dramaturge Salacrou, et qui nous rappelle heureusement que l'exercice de l'art dramatique comporte, aussi, le droit de nous émouvoir avec de bons et grands sentiments.

... *Boulevard Durand* sera joué à Paris par le Centre du Nord dans quelques semaines, et je pourrai alors parler à la fois de l'œuvre et de sa réalisation. Telles que j'ai vu l'une et l'autre au Havre, elles sont de profonde qualité; de ces qualités directes que le drame exige lorsqu'il se refuse à revêtir les ornements de la tragédie et entend nous toucher hors de toute littérature. Lorsque l'opération est réussie — elle l'est ici sur presque tous les plans —, elle nous permet de prendre contact avec un théâtre vivant, passionné, et où les passions s'expriment à un niveau suffisamment élevé pour émouvoir le plus large public. Il y faut des mains très pures, et qui sachent toucher avec la même mesure le sordide et le sacré. A quoi Armand Salacrou et son metteur en scène me semblent avoir réussi pleinement.

> JACQUES LEMARCHAND.
> (Le Figaro littéraire.)

Mais on jouait tellement « complet » que l'on dut organiser une nouvelle soirée (en fait, au lieu de jouer deux fois au Havre, il y eut six représentations). Or, le cinéma ne pouvait plus nous héberger ayant des « engagements antérieurs ». Et ainsi est né le miracle : une seule salle était libre, et les pompiers ayant consenti à fermer les yeux sur certaines formalités de sécurité administrative, nous pûmes nous y installer : la salle Franklin.

*Ainsi, chaque soir, devant quinze cents spectateurs,
la plupart ouvriers, on joua* Boulevard Durand *dans la
salle même où cinquante ans plus tôt, Jules Durand
avait lutté et vécu. La Salle Franklin, au Havre, c'est
la salle des Syndicats. Déjà, dans la première édition de
ce livre, j'avais intercalé une photographie de ce monument. Je ne pensais pas alors que, sous les traits d'un
acteur, Jules Durand viendrait à nouveau parler Salle
Franklin. Quand, au début de la deuxième partie,
Jules Durand décide de cesser le combat et commence à
chanter* L'Internationale, *toute la salle se leva et la
reprit en chœur. J'avais le sentiment que de nombreux
spectateurs venaient au théâtre probablement pour la
première fois. Et moi, jamais je n'avais eu un public
si passionné. Le « traître » se faisait huer. On retrouvait
un public du XIX*e *siècle. Lorsque, à la fin de la pièce,
les acteurs vinrent saluer, Jules Durand fut acclamé;
beaucoup pleuraient. Et quand Roussel apparut, il fut
sifflé. L'acteur — qui est excellent dans ce rôle —, dé-
concerté, ôta sa perruque et ses lunettes pour montrer
qu'il n'était pas Roussel, mais un interprète. Rien n'y
fit, les sifflets continuaient. Ah! nous étions loin des
stricts amateurs de Brecht et des salles de répétitions
générales parisiennes. Mais tout près de mon cher
soldat de Baltimore. Ceux qui connaissent les notes
dont je fais suivre l'édition de mes pièces savent ce que
je veux dire et à quelle anecdote contée par Stendhal je
fais allusion.*

*« Sommes-nous les contemporains de notre public? »
demandais-je en 1945 dans un article recueilli dans*
Les Idées de la nuit. *Le succès de* Boulevard Durand
*dans les villes de province où la pièce vient d'être pré-
sentée semble répondre à la question. Un public entendait sur la scène une histoire qui le concernait. Moi-
même, combien de fois n'ai-je écrit des pièces en ne
pensant qu'à moi-même, à mes soucis personnels.*

Bien sûr, Boulevard Durand, *me touchait personnel-
lement depuis mon enfance, mais ce n'était plus une*

histoire d'écrivain que je contais et, dans cette histoire-
là, un public nouveau se reconnaissait. Et certains soirs,
cette identification était bouleversante. Ce n'est pas le
succès qui me touchait avant tout, mais sa signification.
Pour en donner un témoignage au lecteur, je vais citer
pour finir un dernier extrait de presse.

Fécamp est un port de pêche célèbre, mais c'est tout
de même une très petite ville. Le critique dramatique
local donnera l'atmosphère des représentations devant
les publics de province :

Disons simplement que la soirée fécampoise ne fut
pas seulement un succès, mais, pour dire vrai, ce fut
un triomphe. Depuis quelque vingt années, nous assis-
tons quasiment à tous les spectacles fécampois; nous
ne craignons aucun démenti en affirmant que jamais
une salle fécampoise n'avait vibré, vécu si intensé-
ment une pièce, qu'elle fût comédie, drame ou chronique; jamais non plus de tels applaudissements spon-
tanés n'éclatèrent dans les rangs des publics fécampois,
dont la froideur est bien connue et souvent redoutée
de ceux qui doivent franchir la rampe.

Qu'il nous soit permis de relever ici même ce
commentaire d'une personnalité fécampoise entendue
à la fin du spectacle : *Avec cette pièce, Salacrou vient de*
se rendre immortel, et le Centre Dramatique du Nord
d'acquérir une réputation qui ne tardera pas à passer
les frontières.

Dans la salle de La Chaumière, nous avons noté
la présence de MM. Maurice Sadorge, conseiller général, maire de Fécamp; Macron, adjoint; Robert
Legros, secrétaire général de la mairie; le docteur
Pranzo, président du Ciné-Club; Léopold Soublin,
président de *La Falaise*, etc...

Enfin, il n'est pas impossible que la pièce soit quand
même jouée à Paris... Bien que... bien que... mais c'est
l'histoire que je raconterai bientôt, ainsi que je le disais
au commencement de cette note.

OCTOBRE 1961.

DU MÊME AUTEUR

Aux Éditions Gallimard

Théâtre.

I. LE CASSEUR D'ASSIETTES. – TOUR A TERRE. – LE PONT DE L'EUROPE. – PATCHOULI.

II. ATLAS-HOTEL. – LES FRÉNÉTIQUES. – LA VIE EN ROSE. – Note sur le théâtre.

III. UNE FEMME LIBRE. – L'INCONNUE D'ARRAS. – UN HOMME COMME LES AUTRES.

IV. LA TERRE EST RONDE. – HISTOIRE DE RIRE. – LA MARGUERITE.

V. LES FIANCÉS DU HAVRE. – LE SOLDAT ET LA SORCIÈRE. – LES NUITS DE LA COLÈRE.

VI. L'ARCHIPEL LENOIR. Note sur la vie et la mort de Charles Dullin. – POOF. Note sur mes certitudes et incertitudes morales et politiques. – DIEU LE SAVAIT.

VII. POURQUOI PAS MOI? – SENS INTERDIT. – LES INVITÉS DU BON DIEU. – LE MIROIR.

VIII. UNE FEMME TROP HONNÊTE. – BOULEVARD DURAND. – COMME LES CHARDONS...

Collection *Le Manteau d'Arlequin.*

UNE FEMME TROP HONNÊTE.

IMPROMPTU DÉLIBÉRÉ. Entretiens avec Paul-Louis Mignon.

LA RUE NOIRE.

Mémoires.

DANS LA SALLE DES PAS PERDUS I : C'était écrit.

DANS LA SALLE DES PAS PERDUS II : Les amours.

Collection *La Bibliothèque idéale.*

SALACROU, par Paul-Louis Mignon.

Hors série.

LE THÉÂTRE DE SALACROU, par Fiorenza di Franco.

Collection *Folio*.

N° 93. LES NUITS DE LA COLÈRE, suivi de POOF.

N° 322. HISTOIRE DE RIRE.

N° 384. L'INCONNUE D'ARRAS.

N° 497. LA TERRE EST RONDE.

N° 523. UN HOMME COMME LES AUTRES.

N° 647. UNE FEMME TROP HONNÊTE.

N° 950. LES FIANCÉS DU HAVRE.

Aux Éditions Fayard

Collection *Le Grenier des Goncourt*.

LES IDÉES DE LA NUIT.

*Pour les représentations en France et à l'étranger, s'adresser à
la Société des Auteurs, 11, rue Ballu, Paris, IXe.*

Cet ouvrage a été composé
et achevé d'imprimer par l'Imprimerie Floch
à Mayenne le 22 février 1985.
Dépôt légal : février 1985.
1ᵉʳ dépôt légal dans la même collection : décembre 1972.
Numéro d'imprimeur : 22777.

ISBN 2-07-036779-7 / Imprimé en France.